国学启蒙第一课 GUOXUE QIMENG DIYIKE

影响孩子一生的经典丛书
YINGXIANG HAIZI YISHENG DE JINGDIAN CONGSHU

谚语

注音
彩绘本

上海科学技术文献出版社
Shanghai Scientific and Technological Literature Press

图书在版编目(CIP)数据

谚语/李诚主编.—上海:上海科学技术文献出版社,2014.12

(国学启蒙第一课)

ISBN 978-7-5439-6425-9

Ⅰ.①谚… Ⅱ.①李… Ⅲ.①汉语拼音—少儿读物 Ⅳ.①H125.4

中国版本图书馆 CIP 数据核字(2014)第 264810 号

责任编辑:张 树 李 莺

谚语

YANYU

李诚 主编

*

上海科学技术文献出版社出版发行

(上海市长乐路 746 号 邮政编码 200040)

全国新华书店经销

四川省南方印务有限公司印刷

*

开本 700 × 1000 1/16 印张 10.75 字数 215 000

2015 年 1 月第 1 版 2015 年 2 月第 2 次印刷

ISBN 978-7-5439-6425-9

定价:19.80 元

http://www.sstlp.com

图书服务热线:(028)87336749

序

“国学启蒙第一课”注音读本是专门为少年儿童读者策划编辑的文史类丛书，主要从古代经典和传统菁华中选取当今少年儿童喜闻乐见的故事进行通俗易懂的讲解，通过这些故事，传达中华民族优秀的精神风貌。《谚语》就是其中的一种。

谚语是中华传统文化的重要组成部分，在民间文学艺术宝库中占有特殊地位。它言简意赅、富含哲理，以形象生动、简洁凝练、质朴明快、含蓄隽永的艺术语言向人们揭示真理，传授经验，使人们从中获得智慧，得到启迪。

谚语历史悠久，源远流长，历代著述均有引录；它更用于警戒、劝讽、启迪或教育后人，传达出了现实生活中人与人，人与自然、社会之间的和谐关系，反映出中华民族特有的风俗传统和民族文化。

目录

wéi rén yǔ chǔ shì

为人与处世

qiān xū jǐn shèn

谦虚谨慎

mǎn zhāo sǔn qiān shòu yì

满招损，谦受益。

jiě xī zì mǎn huì zhāo zhì sǔn shī qiān xū kě yǐ dé dào yì chù

【解析】自满会招致损失，谦虚可以得到益处。

lì jù zhè cì kǎo shì wǒ kǎo de tè bié hǎo yǒu xiē jiāo ào le lǎo shī duì wǒ shuō mǎn zhāo sǔn qiān shòu yì

【例句】这次考试我考得特别好，有些骄傲了，老师对我说："满招损，谦受益。"

huǒ yào kōng xīn rén yào xū xīn

火要空心，人要虚心。

jiě xī chái yīng gāi jià kōng cái néng shāo de gèng wàng rén yīng gāi xū xīn cái néng lì shēn chǔ shì zhè shì yòng shēng huó cháng shí bǐ yù wéi rén zhī dào

【解析】柴应该架空才能烧得更旺，人应该虚心才能立身处世。这是用生活常识比喻为人之道。

lì jù huǒ yào kōng xīn rén yào xū xīn bèn ben xióng jiù shì zhè yàng yí gè qiān xū chéng shí de hǎo hái zi suǒ yǐ dà jiā dōu hěn xǐ huan tā dōu xī wàng hé tā zuò hǎo péng you

【例句】"火要空心，人要虚心"，笨笨熊就是这样一个谦虚诚实的好孩子，所以大家都很喜欢他，都希望和他做好朋友。

xū xīn shǐ rén jìn bù jiāo ào shǐ rén luò hòu
虚心使人进步，骄傲使人落后。

jiě xī zuò rén zuò shì qiān xū xiē huì shǐ rén jìn bù jiāo
【解析】做人做事谦虚些，会使人进步；骄
ào le jiù huì shǐ rén luò hòu
傲了就会使人落后。

lì jù xiǎo wū guī zài sài pǎo zhōng yíng le xiǎo tù zi xiǎo
【例句】小乌龟在赛跑中赢了小兔子，小
tù zi hěn nán guò tóng shí yě míng bai le xū xīn shǐ rén jìn bù
兔子很难过，同时也明白了“虚心使人进步，
jiāo ào shǐ rén luò hòu de dào lǐ
骄傲使人落后”的道理。

jiǔ xiāng bú pà xiàng zi shēn
酒香不怕巷子深。

jiě xī zhēn zhèng de hǎo jiǔ bù guǎn zài duō shēn de xiàng zi li
【解析】真正的好酒不管在多深的巷子里
dōu huì yǒu rén qù gòu mǎi pǐn cháng cháng yòng lái bǐ yù huò zhēn jià shí
都会有人去购买品尝，常用来比喻货真价实
de dōng xi dào nǎ li dōu bú pà bèi mái mò
的东西到哪里都不怕被埋没、
lěng luò
冷落。

lì jù zài chāo shì gòu wù de shí
【例句】在超市购物的时
hou wǒ zài hěn piān pì de jiǎo luò li cái zhǎo
候，我在很偏僻的角落里才找
dào le zì jǐ xǐ huan de xǐ miàn nǎi jié zhàng
到了自己喜欢的洗面奶，结账
de shí hou wǒ fā xiàn hěn duō rén yě ná le
的时候，我发现很多人也拿了
tóng yàng de zhēn shì jiǔ xiāng bú pà xiàng zi
同样的，真是“酒香不怕巷子
shēn a
深”啊。

【典故】

nián zhōng guó yáng wù yùn dòng de dài biǎo zhāng zhī dòng chū rèn
1873年，中国洋务运动的代表张之洞出任
sì chuān xué zhèng tā lái dào lú zhōu gāng shàng chuán jiù wén dào yì gǔ
四川学政。他来到泸州，刚上船，就闻到一股
pū bí de jiǔ xiāng yú shì ràng pú rén gěi tā dǎ jiǔ lái pú rén
扑鼻的酒香，于是，让仆人给他打酒来。仆人
qù le yí gè shàng wǔ cái guī lái zhāng zhī dòng yǒu xiē shēng qì kě dǎ
去了一个上午才归来，张之洞有些生气，可打
kāi jiǔ tán jiǔ xiāng qìn rén xīn pí měng yǐn yì kǒu tā lián shuō hǎo
开酒坛，酒香沁人心脾，猛饮一口，他连说“好
jiǔ hǎo jiǔ qì yě xiāo le wèn dào nǐ shì cóng nǎ li dǎ lái
酒、好酒”，气也消了，问道：“你是从哪里打来
de jiǔ pú rén huí dá xiǎo rén tīng shuō lú zhōu nán chéng yíng gōu
的酒？”仆人回答：“小人听说泸州南城营沟
tóu wēn yǒng shèng zuō fang
头温永盛作坊
li de jiǔ zuì hǎo suǒ
里的酒最好，所
yǐ xiǎo rén chuān guò cháng
以，小人穿过长
cháng de jiǔ xiàng dào le
长的酒巷到了
zuì hòu nà jiā wēn yǒng
最后那家温永
shèng zuō fang li mǎi de
盛作坊里买的
jiǔ zhāng zhī dòng diǎn
酒。”张之洞点
tóu wēi xiào shuō zhēn
头微笑说：“真
shì jiǔ hǎo bú pà xiàng
是酒好不怕巷
zi shēn a
子深啊。”

táo lǐ bù yán xià zì chéng xī
桃李不言，下自成蹊。

jiě xī táo shù lǐ shù suī rán bú huì shuō huà dàn tā men
【解析】桃树李树虽然不会说话，但它们
kào zì shēn de guǒ shí jí fēn fāng xī yǐn lù rén shí jiān cháng le dì
靠自身的果实及芬芳吸引路人，时间长了地
shang bèi lù rén cǎi chū le yì tiáo xiǎo lù bǐ yù yǒu zhēn cái shí xué
上被路人踩出了一条小路，比喻有真才实学
de rén bù xū yào zì jǐ chuī pěng zì rán huì dé dào dà jiā de kěn dìng
的人不需要自己吹捧，自然会得到大家的肯定。

lì jù suī rán nǐ xiàn zài bìng bù rě dà jiā de zhù yì
【例句】虽然你现在并不惹大家的注意，
dàn táo lǐ bù yán xià zì chéng xī zhǐ yào jiǎo tà shí dì nǔ
但“桃李不言，下自成蹊”，只要脚踏实地，努
lì fèn dòu yǐ hòu yí dìng néng zhǎo dào zì jǐ de yí piàn tiān dì
力奋斗，以后一定能找到自己的一片天地。

【典故】

hàn cháo shí hou yǒu yí wèi yǒng měng shàn zhàn de jiāng jūn
汉朝时候，有一位勇猛善战的将军，
míng jiào lǐ guǎng yì shēng zhàn gōng zhuó zhù
名叫李广，一生战功卓著，
shēn shòu guān bīng hé bǎi xìng de
深受官兵和百姓的
ài dài lǐ guǎng suī
爱戴。李广虽
rán shēn jū gāo wèi
然身居高位，
dàn yì diǎnr yě bù
但一点儿也不
jū gōng zì ào měi
居功自傲。每
cì cháo tíng gěi tā de
次朝廷给他的
shǎng cì tā dōu fēn
赏赐，他都分

给官兵们。后来，李广将军去世，将士们无不痛哭流涕。在人们心目中，李广将军就是他们崇拜的大英雄。汉朝伟大的史学家司马迁在为李广立传时称赞道：“桃李不言，下自成蹊。”

人无千日好，花无百日红。

【解析】没有什么事情总是一帆风顺的，都会有低谷的时候。

【例句】尽管你现在很受欢迎，但也不要忘了“人无千日好，花无百日红”。

【典故】

宋江杀了人，投靠在柴进府上，好酒好肉，极为优待。一日，宋江喝醉了酒，在走廊上，不小心掀翻火盆，烫伤旁边的一位猛汉，那人便是武

sōng tā dào wǒ lái shí yě shì rú cǐ měi rì hǎo jiǔ hǎo cài
松，他道：“我来时，也是如此，每日好酒好菜，
zhǐ shì rén wú qiān rì hǎo huā wú bǎi rì hóng shí jiān jiǔ le yě
只是人无千日好，花无百日红，时间久了，也
jiù shū yuǎn le
就疏远了。”

wéi rén chǔ shì
为人处世

tiān bù yán jǐ gāo dì bù yán jǐ hòu
天不言己高，地不言己厚。

jiě xī tiān bú huì kuā yào zì jǐ rú hé gāo dì bú huì
【解析】天不会夸耀自己如何高，地不会
xuàn yào zì jǐ rú hé hòu kě rén men dōu néng kàn de jiàn tiān dì de
炫耀自己如何厚，可人们都能看得见天地的
gāo kuàng hé kuān hòu xíng róng yí gè rén de yōu diǎn hé cháng chù bù
高旷和宽厚。形容一个人的优点和长处，不
xū yào kào zì jǐ de xuàn yào hé chuī xū
需要靠自己的炫耀和吹嘘。

lì jù péng peng shì yí gè yǒu néng
【例句】朋朋是一个有能
lì yòu hěn xū xīn de hǎo hái zi zhèng suǒ
力又很虚心的好孩子，正所
wèi tiān bù yán jǐ gāo dì bù yán jǐ
谓“天不言己高，地不言己
hòu dà jiā yí zhì tuī xuǎn tā wéi bān zhǎng
厚”，大家一致推选他为班长。

qiáng zhōng gèng yǒu qiáng zhōng shǒu yì shān hái bǐ yì shān gāo
强中更有强中手，一山还比一山高。

jiě xī néng lì qiáng de rén zhōng jiān hái yǒu gèng qiáng de yí
【解析】能力强的人中间还有更强的，一
zuò shān zài gāo hái shi huì yǒu bǐ tā gèng gāo de bǐ yù zhǐ yǒu gèng
座山再高还是会有比它更高的，比喻只有更

好的没有最好的。

【例句】小兰代表我们班集体去参加市里的小学生作文比赛，回来后老师让她谈谈这次的感想，她感慨地说："强中更有强中手，一山还比一山高。"

骄兵必败。

【解析】骄傲的军队必定打败仗。

【例句】下节课考数学，这是小华最擅长的科目，可他还是很认真地对待，没有让自己松懈，因为他明白"骄兵必败"的道理。

【典故】

公元前68年，汉军和匈奴军发生了战争。汉军夺了车师城，匈奴派骑兵袭击车师。汉宣帝赶忙召集群臣商量对策。将军赵充国主张攻打匈奴，而丞相魏丞则认为，

不应攻打匈奴，国内有很多事情要做，官吏需要治理，边境百姓生活困苦，应该先解决国内问题。接着，他说道：“如果我们出兵，即使打了胜仗，也后患无穷。仗着国大人多，炫耀武力，这就是骄横的军队，而骄横的军队一定会灭亡。”汉宣帝最终采纳了他的意见。

宰相肚里能撑船。

【解析】用以形容一个人胸怀宽广，有容人之量。

【例句】我踢球的时候，不小心砸碎了张爷爷家的玻璃，我很害怕，在妈妈的鼓励下我去张爷爷家道歉，他并没有生气，还夸我是知错就改的好孩子，张爷爷真是“宰相肚里能撑船”啊。

【典故】

三国时的蜀国，在诸葛亮去世后任用蒋琬主持朝政。他的属下有个叫杨戏的，不善

yán tán jiǎng wǎn yǔ tā shuō
言谈。蒋琬与他说
huà tā yě shì zhǐ yìng bù dá
话，他也是只应不答。
yǒu rén kàn bu guàn biàn shuō
有人看不惯，便说：
yáng xì zhè rén duì
“杨戏这人对
nín rú cǐ dài màn
您如此怠慢，
tài bú xiàng huà le
太不像话了！”
jiǎng wǎn tǎn rán yí
蒋琬坦然一
xiào shuō rén
笑，说：“人
ma yǒu gè zì
嘛，有各自
de pí qi bǐng xìng ràng yáng xì dāng miàn shuō zàn yáng wǒ de huà nà
的脾气秉性。让杨戏当面说赞扬我的话，那
kě bú shì tā de běn xìng ràng tā dāng zhe zhòng rén de miàn shuō wǒ de
可不是他的本性；让他当着众人的面说我的
bú shi tā huì jué de wǒ xià bu lái tái suǒ yǐ tā zhǐ hǎo bú
不是，他会觉得我下不来台。所以，他只好不
zuò shēng le qí shí zhè zhèng shì tā wéi rén de kě guì zhī chù
做声了。其实，这正是他为人的可贵之处。”
hòu lái yǒu rén zàn jiǎng wǎn zǎi xiàng dù li néng chēng chuán
后来，有人赞蒋琬“宰相肚里能撑船”。

chéng shí xìn yù
诚实信誉

kè bó bú zhuàn qián zhōng hòu bù shí běn
刻薄不赚钱，忠厚不蚀本。

jiě xī kè bó yòu bù néng zhuàn qián hái nà me kè bó gàn
【解析】刻薄又不能赚钱，还那么刻薄干

shén me zhōng hòu de rén kàn qǐ lái hěn chī kuī dàn huì yíng dé rén men
什么？忠厚的人看起来很吃亏，但会赢得人们
de zūn zhòng hé xìn rèn
的尊重和信任。

lì jù cóng qián yǒu yí gè rén zuò shì shuō huà dōu hěn kè
【例句】从前有一个人，做事说话都很刻
bó tā de lín jū shì yí gè zhōng hòu zhǎng zhě chángcháng bèi tā qī fu
薄，他的邻居是一个忠厚长者，常常被他欺负
wā kǔ hěn duō rén wèi cǐ bào bù píng zhǎng zhě shuō tā zhè yàng
挖苦。很多人为此抱不平。长者说："他这样
kè bó bú huì gěi tā dài lái shén me hǎo chù wǒ zhè yàng zuò xīn
刻薄，不会给他带来什么好处。我这样做心
ān lǐ dé yǒu shén me bù hǎo ne hòu lái kè bó zhě zhōng yīn dé
安理得，有什么不好呢？"后来刻薄者终因得
zuì rén tài duō chī le guān sī zhēn yìng le kè bó bú zhuàn qián zhōng
罪人太多，吃了官司，真应了"刻薄不赚钱，忠
hòu bù shí běn de lǎo huà
厚不蚀本"的老话。

shuō huà yào chéng shí bàn shì yào gōng dao
说话要诚实，办事要公道。

jiě xī zuò rén yào chéng shí bù néng shuō huǎng huà zuò shì qing
【解析】做人要诚实，不能说谎话，做事情
yě yào gōng píng hé lǐ bù néng jiǎ gōng jì sī
也要公平合理，不能假公济私。

lì jù bāo qīng tiān de gù shi gào su wǒ men shuō huà
【例句】"包青天"的故事告诉我们"说话
yào chéng shí bàn shì yào gōng dao
要诚实，办事要公道"。

lǎo bù hǒng shào bù mán
老不哄，少不瞒。

jiě xī bǐ yù zuò shì guāngmíng lěi luò bù qī piàn rèn hé rén
【解析】比喻做事光明磊落，不欺骗任何人。

lì jù zhè jiàn shì qing bì xū yào zuò dào lǎo bù hǒng shào
【例句】这件事情必须要做到"老不哄，少

bù mán　　fǒu zé hòu guǒ hěn yán zhòng
不瞒”，否则后果很严重。

tān shì zhū è yuán　chéng wéi wàn shàn běn
贪是诸恶源，诚为万善本。

jiě xī　tān lán jiān zhà shì wàn è de yuán tóu　chéng shí shàn
【解析】贪婪奸诈是万恶的源头，诚实善
liáng shì wàn shàn de gēn běn
良是万善的根本。

lì jù　yí gè tān guān lì yòng zì jǐ de zhí quán zhuàn le hěn
【例句】一个贪官利用自己的职权赚了很
duō qián　yě zuò le hěn duō
多钱，也做了很多
huài shì　dàn tā yì diǎnr yě
坏事，但他一点儿也
bú kuài lè　jiù dào sì miào
不快乐，就到寺庙
li bài fó xiǎng qiú yí gè jiě
里拜佛想求一个解
dá　fó gào su tā　tān
答。佛告诉他：“贪
shì zhū è yuán　chéng wéi wàn shàn běn
是诸恶源，诚为万善本。”

yuè fēi liú fāng bǎi shì　qín huì yí chòu wàn nián
岳飞流芳百世，秦桧遗臭万年。

jiě xī　yuè fēi de hǎo míng shēng yǒng yuǎn liú chuán xià qù　qín
【解析】岳飞的好名声永远流传下去，秦
huì què liú xià qiān gǔ de mà míng
桧却留下千古的骂名。

lì jù　zuò rén yí dìng yào zhōng chéng jiān zhēn　yuè fēi liú fāng
【例句】做人一定要忠诚坚贞，“岳飞流芳
bǎi shì　qín huì yí chòu wàn nián　jiù shì zuì hǎo de lì zi
百世，秦桧遗臭万年”就是最好的例子。

【典故】

1140年春，金兀术攻打南宋，岳飞出兵大破金兵，直逼金国国都，而朝中主和派秦桧向宋高宗献计，召回岳飞。岳飞回到临安后，秦桧等人为了向金求和，以“莫须有”的罪名把岳飞投进监狱。1141年，岳飞被害，年仅39岁，临刑前，他写下“天日昭昭，天日昭昭”八个大字。不久，南宋与金订立和约，向金称臣纳贡。岳飞虽然惨遭杀害，但他的光辉业绩却深深地铭刻在人民心中，而奸臣秦桧却被铸成铁像，反剪双手，长跪于英雄墓前，被万人唾骂！

人的名儿，树的影儿。

【解析】人的名声，就像树的影子一样，是实实在在，大家都看得见的。

【例句】听说著名学者张教授要来校作学术报告，师生们早早就来到学术厅。真是“人的名儿，树的影儿”啊。

许人一物，千金不移。

【解析】指向别人许下诺言，多少钱财都买不走他要实现承诺的决心。

【例句】小时候他的家里很穷，连房子都是破的，他就对母亲说：“我长大了以后一定盖一座很大的房子送给您。”“许人一物，千金不移”，他长大以后便努力创业，终于实现了这个诺言。

有借有还，再借不难。

【解析】借了别人的东西应该及时归还，这样在下次需要借的时候别人才愿意借给你。

【例句】朋朋借走了我最心爱的卡通漫画书，第二天他就还给我了。我惊奇地问道：“你

zěn me huán de zhè me kuài a tā xiào zhe huí dá shuō wǒ zhuā
怎么还得这么快啊？”他笑着回答说：“我抓
jǐn shí jiān kàn wán de yǒu jiè yǒu huán zài jiè bù nán ma
紧时间看完的，‘有借有还，再借不难’嘛。”

qín láo jié jiǎn
勤劳节俭

lì lǎn qián xián guó yǔ jiā chéng yóu qín jiǎn pò yóu shē
历览前贤国与家，成由勤俭破由奢。

jiě xī jìn kàn qián cháo jiù shì chénggōng lái zì qín jiǎn jié
【解析】尽看前朝旧事，成功来自勤俭节
yuē ér shē chǐ làng fèi zuì zhōng huì dǎo zhì guó pò jiā wáng
约，而奢侈浪费最终会导致国破家亡。

lì jù lì lǎn qián xián guó yǔ jiā chéng yóu qín jiǎn pò yóu
【例句】“历览前贤国与家，成由勤俭破由
shē wǒ men shì zǔ guó de wèi lái qín jiǎn jié yuē yào cóng wǒ men
奢”，我们是祖国的未来，勤俭节约要从我们
zuò qǐ cóng xiǎo zuò qǐ
做起，从小做起。

shēngchǎn hǎo bǐ yáo qián shù jié yuē hǎo bǐ jù bǎo pén
生产好比摇钱树，节约好比聚宝盆。

jiě xī nǔ lì láo dòng jiù huì yǒu shōu huò qín jiǎn jié yuē
【解析】努力劳动就会有收获，勤俭节约
jiù huì yǒu jī xù
就会有积蓄。

lì jù shēngchǎn hǎo bǐ yáo
【例句】“生产好比摇
qián shù jié yuē hǎo bǐ jù bǎo pén zhǐ
钱树，节约好比聚宝盆”，只
yǒu zhè yàngshuāngguǎn qí xià shēng huó cái néng
有这样双管齐下，生活才能
yuè lái yuè hǎo
越来越好。

xì shuǐ cháng liú chī chuān bù chóu
细水长流，吃穿不愁。

jiě xī xì xì de shuǐ liú
【解析】细细的水流
kě yǐ bú jiàn duàn de liú yǒu jì
可以不间断地流，有计
huà yǒu jié zhì de huā xiāo kě yǐ
划、有节制地花销可以
ràng nǐ chī chuān bù fā chóu
让你吃穿不发愁。

lì jù xì shuǐ cháng liú chī chuān bù chóu zài mā ma
【例句】“细水长流，吃穿不愁”，在妈妈
de cāo chí xià wǒ men jiā de rì zi guò de yuè lái yuè hǎo le
的操持下，我们家的日子过得越来越好了。

qiǎo fù nán wéi wú mǐ zhī chuī
巧妇难为无米之炊。

jiě xī jí shǐ shì cōng míng néng gàn de fù nǚ méi mǐ yě zuò
【解析】即使是聪明能干的妇女，没米也做
bu chū fàn lái bǐ yù zuò shì quē shǎo bì yào tiáo jiàn hěn nán zuò chéng
不出饭来。比喻做事缺少必要条件，很难做成。

lì jù wǒ men yào wèi kē yán rén yuán tí gōng bì yào de jīng
【例句】我们要为科研人员提供必要的经
fèi hé wù zhì bǎo zhèng fǒu zé tā men de yán jiū gōng zuò hěn nán chū
费和物质保证，否则他们的研究工作很难出
chéng guǒ qiǎo fù nán wéi wú mǐ zhī chuī ma
成果，“巧妇难为无米之炊”嘛。

【典故】

sòng cháo yǒu gè dà guān míng jiào yàn jǐng chū yǒu yì tiān tā
宋朝有个大官名叫晏景初。有一天，他
dài le bù shǎo suí cóng dào hé shang miào qù wán chāo chāo rǎng rǎng le yì
带了不少随从到和尚庙去玩，吵吵嚷嚷了一
tiān hái xiǎng zài miào li zhù xià lái nà miào de zhù chí hé shang shì
天，还想在庙里住下来。那庙的住持和尚是

gè hěn gěng zhí de rén bú yuàn pāi dà guān mǎ pì jiù tuī cí dào wǒ men de miào hěn xiǎo hěn qióng fáng zi pò pò làn làn zěn me néng liú guì kè zhù ne

个很耿直的人，不愿拍大官马屁，就推辞道："我们的庙很小、很穷，房子破破烂烂，怎么能留贵客住呢？"

yàn jǐng chū dào nǐ shì gè hěn yǒu bàn fǎ de rén yí dìng huì xiǎng bàn fǎ ràng wǒ men zhù xià lái de hé shang shuō qiǎo fù ān néng zuò wú miàn tāng bǐng hū jiàn hé shang bù kěn dā ying yàn jǐng chū zhǐ hǎo huī liū liū de huí qù le qiǎo fù ān néng zuò wú miàn tāng bǐng hòu yǎn biàn chéng qiǎo fù nán wéi wú mǐ zhī chuī

晏景初道："你是个很有办法的人，一定会想办法让我们住下来的。"和尚说："巧妇安能做无面汤饼乎？"见和尚不肯答应，晏景初只好灰溜溜地回去了。"巧妇安能做无面汤饼"后演变成"巧妇难为无米之炊"。

jiā yǒu qiān jīn bù diǎn shuāng dēng

家有千金，不点双灯。

jiě xī jiā li zài yǒu qián yě bù duō diǎn yì zhǎn dēng bǐ yù qín jiǎn jié yuē de shēng huó zuò fēng

【解析】家里再有钱，也不多点一盏灯。比喻勤俭节约的生活作风。

lì jù jiā yǒu qiān jīn bù diǎn shuāng dēng zài yǒu qián wǒ men yě bù néng làng fèi

【例句】"家有千金，不点双灯"，再有钱，我们也不能浪费。

yóu jiǎn rù shē yì yóu shē fǎn jiǎn nán
由俭入奢易，由奢返俭难。

jiě xī cóng jiǎn pǔ de shēng huó dào shē huá de shēng huó róng yì
【解析】从简朴的生活到奢华的生活容易，
cóng shē huá de shēng huó fǎn huí jiǎn pǔ de shēng huó què hěn nán
从奢华的生活返回简朴的生活却很难。

lì jù wǒ men yào bǎo chí qín jiǎn jié yuē de hǎo xí guàn
【例句】我们要保持勤俭节约的好习惯，
yóu jiǎn rù shē yì yóu shē fǎn jiǎn nán a
“由俭入奢易，由奢返俭难”啊！

yǔ yán xíng wéi
语言行为

shuō de bǐ chàng de hǎo tīng
说的比唱的好听。

jiě xī chángyòng lái bǐ yù yí gè rén guāngshuō bú zuò de zuò
【解析】常用来比喻一个人光说不做的做
shì tài du
事态度。

lì jù nǐ zhēn shì shuō de bǐ chàng de hǎo tīng zěn me
【例句】你真是“说的比唱的好听”，怎么
jiù méi jiàn nǐ yǒu shí jì xíng dòng ne
就没见你有实际行动呢？

wáng pó mài guā zì mài zì kuā
王婆卖瓜，自卖自夸。

jiě xī mài guā guǒ de wáng
【解析】卖瓜果的王
pó zǒng shì zì jǐ kuā zì jǐ de guā
婆，总是自己夸自己的瓜
hěn tián fàn zhǐ zì jǐ kuā yào zì jǐ
很甜，泛指自己夸耀自己。

lì jù nǐ bú yào lǎo shì
【例句】你不要老是

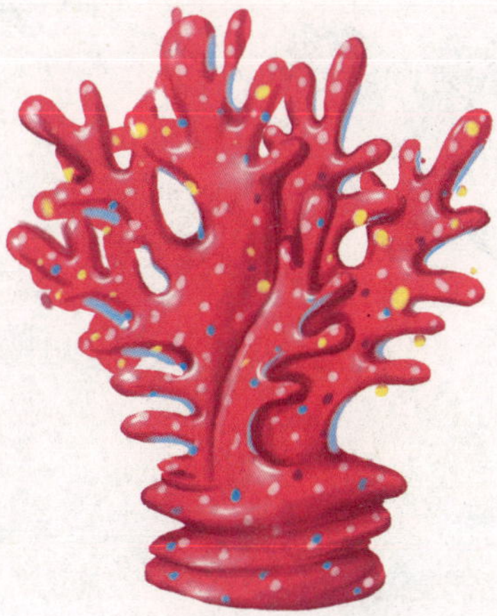

wáng pó mài guā zì mài zì kuā le zuò rén yào qiān xū cái xíng
“王婆卖瓜，自卖自夸”了，做人要谦虚才行。

【典故】

wáng pó lǎo jiā zài xī xià tā yǐ zhòng hú guā wéi shēng dāng
王婆老家在西夏，她以种胡瓜为生。当
shí lián nián zhàn luàn wèi le bì nàn tā bān jiā dào kāi fēng jì xù
时，连年战乱，为了避难，她搬家到开封，继续
zhòng hú guā hú guā hěn tián dàn wài xíng bù hǎo kàn suǒ yǐ méi rén
种胡瓜。胡瓜很甜，但外形不好看，所以没人
lái mǎi yú shì tā kāi shǐ zì mài zì kuā shēng yi zhè cái xīng lóng
来买。于是，她开始自卖自夸，生意这才兴隆
qǐ lái yì tiān shén zōng huáng dì chū gōng xún shì yì shí xìng qǐ
起来。一天，神宗皇帝出宫巡视，一时兴起，
lái dào jí shì shang zhǐ jiàn wáng pó zhèng zài lián shuō dài bǐ hua de kuā
来到集市上，只见王婆正在连说带比画地夸
zì jǐ de guā hǎo jiàn le huáng shang tā yě bù huāng hái ràng huáng shang
自己的瓜好。见了皇上，她也不慌，还让皇上
pǐn cháng huáng shang
品尝。皇上
yì cháng lián lián
一尝，连连
chēng zàn biàn gǎn
称赞，便感
kǎi dào zuò mǎi
慨道：“做买
mai hái shi dāng kuā
卖还是当夸
zé kuā wáng pó
则夸，王婆
mài guā zì mài
卖瓜，自卖
zì kuā yǒu hé
自夸，有何
bù hǎo huáng
不好？”皇

帝金口一开，不多时，这句话就传遍了黄河南北，传至今天。

美言不信，信言不美。

【解析】好听的话往往不诚实，诚实的话往往不好听。

【例句】我知道我说的话你不愿意听，但“美言不信，信言不美”，我是把最真诚的想法说给你听了。

【典故】

一天，村子里来了一个卖牡丹花苗的人，那人说着顺口溜：“一朵牡丹放红光，光彩照人满院香。”李耳买了一棵，可一直没开花。

dì èr nián chūn tiān cūn li yòu lái yí gè mài mǔ dan de lǐ ěr wèn
第二年春天，村里又来一个卖牡丹的，李耳问
dào nǐ mài de shì zhēn mǔ dan hái shi jiǎ mǔ dan nà rén hěn
道："你卖的是真牡丹还是假牡丹？"那人很
bú nài fán de huí le jù ài yào bú yào lǐ ěr yòu mǎi le
不耐烦地回了句："爱要不要！"李耳又买了
yì kē shí jǐ tiān hòu mǔ dan huā guǒ rán kāi chū lái le lǐ
一棵。十几天后，牡丹花果然开出来了。李
ěr féng rén biàn shuō liǎng gè mài mǔ dan de yí gè shuō de tiān huā
耳逢人便说："两个卖牡丹的，一个说得天花
luàn zhuì jié guǒ huā shì jiǎ de lìng yí gè suī rán shuō huà bù zhōng tīng
乱坠，结果花是假的；另一个虽然说话不中听，
jié guǒ huā shì zhēn de zhēn de shì xìn yán
结果花是真的。真的是'信言
bù měi měi yán bú xìn
不美，美言不信'。"

yán guò qí shí zhōng wú dà yòng
言过其实，终无大用。

jiě xī shì zhǐ shuō de bǐ shí jì
【解析】是指说的比实际
zuò de hǎo zhè yàng de rén bù néng dān dāng zhòng rèn
做的好，这样的人不能担当重任。

lì jù yán guò qí shí zhōng wú dà yòng sān guó shí
【例句】"言过其实，终无大用"，三国时
qī de mǎ sù jiù shì zhè yàng de rén
期的马谡就是这样的人。

dà jiǔ zuì rén dà huà nǎo rén
大酒醉人，大话恼人。

jiě xī jiǔ hē duō le huì zuì rén huà shuō dà le huì rě
【解析】酒喝多了会醉人，话说大了会惹
rén fán
人烦。

lì jù dà jiǔ zuì rén dà huà nǎo rén nǐ zài zhè
【例句】"大酒醉人，大话恼人"，你再这

yàng huì ràng rén tǎo yàn de
样会让人讨厌的。

niú pí bú shì chuī de huǒ chē bú shì tuī de
牛皮不是吹的，火车不是推的。

jiě xī niú pí bú shì yòng lái chuī de
【解析】牛皮不是用来吹的，
huǒ chē bú shì tuī zhe qián jìn de
火车不是推着前进的。

lì jù niú pí bú shì chuī de huǒ chē bú shì tuī de
【例句】“牛皮不是吹的，火车不是推的”，
tā zhēn de bàn chéng le zhè jiàn shì tài bù kě sī yì le
他真的办成了这件事，太不可思议了。

jiàn rén shuō rén huà jiàn guǐ shuō guǐ huà
见人说人话，见鬼说鬼话。

jiě xī xíng róng yí gè rén hěn yuán huá jiàn shén me yàng de
【解析】形容一个人很圆滑，见什么样的
rén shuō shén me yàng de huà
人说什么样的话。

lì jù tā zhè ge rén hěn yuán huá zǒng shì jiàn rén shuō rén
【例句】他这个人很圆滑，总是“见人说人
huà jiàn guǐ shuō guǐ huà zhè yàng fēi cháng bù hǎo
话，见鬼说鬼话”，这样非常不好。

guāng tīng lóu tī xiǎng bú jiàn rén xià lái
光听楼梯响，不见人下来。

jiě xī bǐ yù zhǐ shì kǒu
【解析】比喻只是口
tóu shuō shuo méi yǒu shí jì xíng dòng
头说说，没有实际行动。

lì jù nǐ bú yào zài zhè
【例句】你不要在这
li kuā kuā qí tán le zhēn shì guāng
里夸夸其谈了，真是“光

tīng lóu tī xiǎng bú jiàn rén xià lái
听楼梯响，不见人下来”。

xià pō róng yì shàng pō nán
下坡容易上坡难。

jiě xī xià pō de shí hou hěn róng yì shàng pō de shí hou
【解析】下坡的时候很容易，上坡的时候
hěn jiān nán bǐ yù tuì bù hěn róng yì jìn bù què hěn nán
很艰难。比喻退步很容易，进步却很难。

lì jù xué xí jiù xiàng pá shān jiǎo bù bù néng sōng xiè
【例句】学习就像爬山，脚步不能松懈，
xià pō róng yì shàng pō nán
“下坡容易上坡难”。

sān cùn bú làn zhī shé
三寸不烂之舌。

jiě xī xíng róng fēi cháng yǒu kǒu cái néng shuō huì dào
【解析】形容非常有口才、能说会道。

lì jù dòng wù biàn lùn huì shang jīn sī què yòng tā nà sān
【例句】动物辩论会上，金丝雀用它那“三
cùn bú làn zhī shé yíng dé le bǐ sài
寸不烂之舌”赢得了比赛。

【典故】

zhāng yí yǒu yí cì bèi yāo cān jiā chǔ
张仪有一次被邀参加楚
guó zǎi xiàng de yàn huì yàn huì sàn le hòu
国宰相的宴会，宴会散了后，
chǔ xiàng fā xiàn zì jǐ de yù bì bú jiàn le
楚相发现自己的玉璧不见了。
shì cóng shuō yí dìng shì zhāng yí tōu de tā yòu
侍从说：“一定是张仪偷的，他又
qióng yòu xíng wéi bù duān yú shì chǔ xiàng pài rén
穷又行为不端。”于是，楚相派人

bǎ zhāng yí zhuā lái bǎi bān ōu dǎ bǎ tā jiā chāo le gè biàn yě
把张仪抓来，百般殴打，把他家抄了个遍，也
méi zhǎo chū yù bì lái zhǐ hǎo bǎ zhāng yí fàng le zhāng yí de qī
没找出玉璧来，只好把张仪放了。张仪的妻
zi yīn cǐ āi āi de kū zhāng yí shuō bú yào kū xiàn zài yào
子因此哀哀地哭。张仪说：“不要哭，现在要
jǐn de shì nǐ kàn wǒ shé tou bèi dǎ làn le méi yǒu qī zi bèi
紧的是：你看我舌头被打烂了没有？”妻子被
dòu xiào le shuō shé tou hái zài nǐ kǒu li zhāng yí shuō nà
逗笑了，说：“舌头还在你口里。”张仪说：“那
jiù bú yào jǐn hòu lái tā xī rù qín guó píng zhe tā de sān cùn
就不要紧。”后来，他西入秦国，凭着他的三寸
bú làn zhī shé wèi qín guó tǒng yī zuò chū le zhuó yuè de gòng xiàn
不烂之舌，为秦国统一作出了卓越的贡献。

lǐ xiǎng lì zhì
理想立志

zǎo shang zāi xià shù dào wǎn yào chéngliáng
早上栽下树，到晚要乘凉。

jiě xī bǐ yù xiǎng yào dé dào hǎo de jié guǒ jiù bì xū yào tí qián nǔ lì cái xíng
【解析】比喻想要得到好的结果，就必须要提前努力才行。

lì jù zǎo shang zāi xià shù dào wǎn yào chéng liáng zhè
【例句】“早上栽下树，到晚要乘凉”，这

shì nǐ yǐ qián nǔ lì de jié guǒ yǐ hòu yào zài jiē zài lì a
是你以前努力的结果，以后要再接再厉啊！

wú zhì zhī rén cháng lì zhì yǒu zhì zhī rén lì cháng zhì
无志之人常立志，有志之人立常志。

jiě xī méi zhì qì de rén chángcháng yí gè yòu yí gè de huàn
【解析】没志气的人常常一个又一个地换
zhì yuàn ér yǒu zhì qì de rén zé dìng le yí gè mù biāo yí dìng huì
志愿，而有志气的人则定了一个目标一定会
qù wán chéng
去完成。

lì jù shì bīng tū jī lǐ miàn de xǔ sān duō gē ge de
【例句】《士兵突击》里面的许三多哥哥的
gù shi gào su wǒ men wú zhì zhī rén cháng lì zhì yǒu zhì zhī rén
故事告诉我们："无志之人常立志，有志之人
lì cháng zhì wǒ men duì dài lǐ xiǎng yào bù pāo qì bú fàng qì
立常志。"我们对待理想要不抛弃，不放弃。

yǒu zhì zhě shì jìng chéng
有志者，事竟成。

jiě xī zhǐ yào yǒu jué xīn yǒu yì lì
【解析】只要有决心，有毅力，
shì qing zhōng jiū huì chéng gōng
事情终究会成功。

lì jù zhè cì suī rán shī bài le zhǐ
【例句】这次虽然失败了，只
yào zài nǔ lì hái shi yǒu jī huì de bì jìng yǒu zhì zhě shì jìng chéng
要再努力还是有机会的，毕竟"有志者，事竟成"。

【典故】

dōng hàn shí kāi guó huáng dì liú xiù pài dà jiàng gěng yǎn gōng dǎ
东汉时，开国皇帝刘秀派大将耿弇攻打
zhàn jù shān dōng qīng zhōu de háo qiáng zhāng bù zhāng bù bīng qiáng mǎ zhuàng
占据山东青州的豪强张步。张步兵强马壮，

shì gè jìng dí tā tīng shuō gěng yǎn shuài bīng lái gōng jiù pài dà jiàng
是个劲敌。他听说耿弇率兵来攻，就派大将
fèi yì fēn bīng bǎ shǒu gěng yǎn yòng jì xiāng jì gōng xià zhù ā lì
费邑分兵把守。耿弇用计相继攻下祝阿、历
xià hé lín zī sān dì zhāng bù qíng jí zhī xià qīn zì dài bīng fǎn
下和临淄三地。张步情急之下，亲自带兵反
gōng zài lín zī chéng wài hé gěng yǎn zhǎn kāi le yì cháng xuè zhàn zhàn
攻，在临淄城外和耿弇展开了一场血战。战
dòu zhōng gěng yǎn dà tuǐ zhòng jiàn tā rěn zhe jù tòng yòng pèi dāo kǎn duàn
斗中，耿弇大腿中箭，他忍着剧痛用佩刀砍断
jiàn gǎn jiān chí zhàn dòu
箭杆，坚持战斗。

liú xiù wén xùn dài bīng qián qù zhī yuán yuán bīng hái wèi dào
刘秀闻讯，带兵前去支援。援兵还未到
shí gěng yǎn de bù jiàng chén jùn rèn wéi zhāng bù bīng lì qiáng dà jiàn yì
时，耿弇的部将陈俊认为张步兵力强大，建议
xiū zhàn děng dài yuán bīng dào dá hòu zài jìn gōng kě shì gěng yǎn què
休战，等待援兵到达后再进攻。可是，耿弇却
rèn wéi bù néng bǎ kùn nan liú gěi bié ren jīng
认为不能把困难留给别人，经
guò yì cháng nǐ sǐ wǒ huó de jī zhàn gěng yǎn
过一场你死我活的激战，耿弇
zhōng yú dà bài zhāng bù
终于大败张步。

jǐ tiān hòu
几天后，
liú xiù shuài bīng lái
刘秀率兵来
dào lín zī zài
到临淄，在
zhòng jiàng miàn qián kuā
众将面前夸
jiǎng gěng yǎn shuō
奖耿弇说：
guò qù hán xìn
“过去韩信
pò lì xià kāi
破历下开

chuàng jī yè xiàn zài nǐ lián zhàn lián jié liǎng gōng xiāng fǎng yǐ qián zài
创基业，现在你连战连捷，两功相仿。以前在
nán yáng shí nǐ jiù céng jiàn yì píng dìng zhāng bù dāng shí wǒ rèn wéi kǒu
南阳时，你就曾建议平定张步，当时我认为口
qì tài dà kǒng pà nán yǐ chénggōng rú jīn cái zhī dào nǐ shì yǒu
气太大，恐怕难以成功，如今才知道，你是‘有
zhì zhě shì jìng chéng a
志者，事竟成’啊！”

sān jūn kě duó qí shuài pǐ fū bù kě duó zhì
三军可夺其帅，匹夫不可夺志。

jiě xī jūn duì kě yǐ bèi duó qù zhǔ shuài nán zǐ hàn què
【解析】军队可以被夺去主帅，男子汉却
bù kě bèi duó qù zhì qì
不可被夺去志气。

lì jù zài zhàn chǎng shang jí shǐ shī bài le yě bù néng diū
【例句】在战场上，即使失败了也不能丢
diào shì qì zhèng suǒ wèi sān jūn kě duó qí shuài pǐ fū bù kě duó zhì
掉士气，正所谓“三军可夺其帅，匹夫不可夺志”。

yǒu zhì bú zài nián gāo wú zhì kōng huó bǎi suì
有志不在年高，无志空活百岁。

jiě xī nián líng bú dà yě kě yǐ xiōng huái
【解析】年龄不大也可以胸怀
yuǎn dà de lǐ xiǎng rú guǒ méi yǒu shén me zhì xiàng
远大的理想，如果没有什么志向，
jí shǐ huó de zài cháng yě shì xū dù rén shēng
即使活得再长，也是虚度人生。

lì jù zài bān huì shang lǎo shī jiào dǎo
【例句】在班会上，老师教导
wǒ men yǒu zhì bú zài nián gāo wú zhì kōng huó bǎi
我们“有志不在年高，无志空活百
suì wǒ men dōu jī jí de dìng xià le zì jǐ de
岁”，我们都积极地定下了自己的
lǐ xiǎng
理想。

天下无难事，只怕有心人。

【解析】只要有志向，有毅力，没有什么办不到的事情。

【例句】“天下无难事，只怕有心人”，经过一番努力，她终于站在了奥运会的最高领奖台上。

死马当活马医。

【解析】比喻明知事情已经无可救药，仍然抱一线希望，积极挽救。泛指做最后的尝试。

【例句】现在我已经别无选择，只好“死马当活马医”，再做最后的努力了。

【典故】

jìn cháo dà guān dòu gù jiā zhōng yǒu pǐ jùn mǎ rì xíng qiān lǐ
晋朝大官窦顾家中有匹骏马，日行千里
ér bù xiē rén chēng shén jū méi xiǎng dào yǒu yì tiān shén jū tū
而不歇，人称“神驹”。没想到，有一天神驹突
rán dǎo dì shēn wáng dòu gù hěn shì xīn tòng yǒu gè jiào guō pú de
然倒地身亡。窦顾很是心痛，有个叫郭璞的
rén gǎn lái shuō yǒu fāng fǎ yī zhì dòu gù bàn xìn bàn yí xīn xiǎng
人赶来说有方法医治，窦顾半信半疑，心想：
sǐ mǎ dàng huó mǎ yī ràng tā shì shi méi xiǎng dào guō pú guǒ
“死马当活马医，让他试试。”没想到，郭璞果
rán yī shù gāo chāo zhēn de jiù huó le shén jū
然医术高超，真的救活了神驹。

yī bú zuò èr bù xiū
一不做，二不休。

jiě xī bǐ yù bú zuò zé yǐ jì rán yǐ jīng zuò le jiù
【解析】比喻不做则已，既然已经做了，就
suǒ xìng zuò dào dǐ
索性做到底。

lì jù dà jiā jué de bú yào kǎo lǜ nà me duō le gān
【例句】大家觉得不要考虑那么多了，干
cuì yī bú zuò èr bù xiū bǎ zhè jiàn shì qing jìn xíng dào dǐ
脆“一不做，二不休”，把这件事情进行到底。

【典故】

táng dé zōng shí yǒu zhī jūn duì zài cháng ān pàn biàn yōng lì jié
唐德宗时，有支军队在长安叛变，拥立节
dù shǐ zhū cǐ wéi huáng dì zhū cǐ zì chēng dà qín huáng dì rèn mìng
度使朱泚为皇帝。朱泚自称大秦皇帝，任命
zhāng guāng shèng wéi dà jiāng jūn táng dé zōng mìng lìng dà jiàng lǐ shèng lǐng bīng
张光晟为大将军。唐德宗命令大将李晟领兵

tǎo fá zhū cǐ dà jūn hěn kuài jiù bī jìn cháng ān
讨伐朱泚，大军很快就逼近长安。

zhāng guāng shèng shuài bīng lái dào jiǔ qū yǔ lǐ shèng duì zhèn zhāng
张光晟率兵来到九曲，与李晟对阵。张

guāng shèng jiàn lǐ shèng jūn duì shēng shì hào dà zhī dào zì jǐ bú shì duì
光晟见李晟军队声势浩大，知道自己不是对

shǒu àn zhōng pài xīn fù yǔ lǐ shèng lián luò jiǎng hé lǐ shèng biǎo shì
手，暗中派心腹与李晟联络讲和。李晟表示

huān yíng tā guī xiáng cháo tíng bìng bǎo zhèng tā de ān quán yú shì zhāng
欢迎他归降朝廷，并保证他的安全。于是，张

guāngshèng dài lǐng bù xià tóu xiáng lǐ shèng wèi tā xiàng dé zōng shàng zòu
光晟带领部下投降。李晟为他向德宗上奏，

qǐng qiú duì zhāng guāng shèng jiǎn zuì rèn yòng lǐ shèng dài zhāng guāng shèng cān
请求对张光晟减罪任用。李晟带张光晟参

jiā yàn huì huá zhōu jié dù shǐ lù yuán guāng dāng zhòng nù chì jué bù
加宴会，华州节度使路元光当众怒斥：“决不

yǔ fǎn zéi tóng xí lǐ shèng zhǐ hǎo jiāng zhāngguāng shèng ruǎn jìn qǐ lái
与反贼同席！”李晟只好将张光晟软禁起来，

děng dài cháo tíng chǔ lǐ bù jiǔ dé zōng xià zhǐ zhāng
等待朝廷处理。不久，德宗下旨：张

guāng shèng wéi pàn jūn suǒ yòng zuì bù kě shè
光晟为叛军所用，罪不可赦，

lì jí chǔ sǐ zhāng guāng shèng lín sǐ
立即处死。张光晟临死

qián shuō chuán huà hòu rén
前说：“传话后人：

dì yī mò zuò dì èr mò
第一莫做，第二莫

xiū qí yì wéi dāng chū
休。”其意为：当初

jì rán yǐ jīng bèi pàn jūn zhū
既然已经被叛军朱

cǐ suǒ yòng jiù gāi yì tiáo
泚所用，就该一条

lù zǒu dào dǐ zhōng tú fǎn
路走到底，中途反

huǐ bù rú yí zhàn pīn shēng sǐ
悔，不如一战拼生死。

zé yǒu jiāo yǒu
择友交友

zài jiā kào fù mǔ chū mén kào péng you
在家靠父母，出门靠朋友。

jiě xī zài jiā li de shí hou yào kào fù mǔ yǎng yù cái néng zhǎng dà zài wài miàn yào péng you zhī jiān hù xiāng fú chí
【解析】在家里的时候要靠父母养育才能长大，在外面要朋友之间互相扶持。

lì jù xiǎo huá dì yī cì chū yuǎn mén mā ma hěn dān xīn tā ān wèi mā ma shuō nín jiù fàng xīn ba zài jiā kào fù mǔ chū mén kào péng you ma
【例句】小华第一次出远门，妈妈很担心，他安慰妈妈说：“您就放心吧，‘在家靠父母，出门靠朋友’嘛！”

hǎi nèi cún zhī jǐ tiān yá ruò bǐ lín
海内存知己，天涯若比邻。

jiě xī sì hǎi zhī nèi yǒu zhī jǐ péng you jí shǐ yuǎn zài tiān biān yě gǎn jué xiàng lín jū yí yàng jìn
【解析】四海之内有知己朋友，即使远在天边，也感觉像邻居一样近。

lì jù hǎi nèi cún zhī jǐ tiān yá ruò bǐ lín suī jiù yào yuǎn xíng dàn nǐ yǒng yuǎn bú huì gū dān yuàn wǒ men de yǒu yì dì jiǔ tiān cháng
【例句】“海内存知己，天涯若比邻”，虽就要远行，但你永远不会孤单，愿我们的友谊地久天长。

jūn zǐ zhī jiāo dàn rú shuǐ
君子之交淡如水。

jiě xī jūn zǐ de jiāo wǎng qīng dàn rú shuǐ ér bú shì hù xiāng lā lǒng lì yòng
【解析】君子的交往清淡如水，而不是互相拉拢、利用。

lì jù wǒ hé tā de guān xì shì jūn zǐ zhī jiāo dàn rú shuǐ
【例句】我和他的关系是“君子之交淡如水”。

【典故】

táng cháo zhòng chén xuē rén guì méi dé zhì qián yǔ qī zi zhù zài yí gè pò yáo dòng li yī shí wú zhuó fēng cān lù sù quán kào píng mín wáng mào shēng fū fù jiē jì hòu lái xuē rén guì cān jūn gēn suí táng tài zōng lǐ shì mín dōng zhēng yīn lì xià dà gōng bèi fēng wéi píng liáo wáng
唐朝重臣薛仁贵没得志前与妻子住在一个破窑洞里，衣食无着，风餐露宿，全靠平民王茂生夫妇接济。后来，薛仁贵参军，跟随唐太宗李世民东征，因立下大功，被封为“平辽王”。

yì dēng lóng mén shēn jià bǎi bèi qián lái sòng lǐ zhù hè de wén wǔ dà chén luò yì bù jué kě dōu bèi xuē rén guì wǎn yán xiè jué le tā zhǐ shōu xià le wáng mào shēng sòng lái de liǎng tán měi jiǔ
一登龙门，身价百倍，前来送礼祝贺的文武大臣络绎不绝，可都被薛仁贵婉言谢绝了，他只收下了王茂生送来的两坛“美酒”。

一开酒坛，负责启封的执事官吓得面如土色：坛中装的不是美酒，而是清水！他对薛仁贵说：“启禀王爷，此人如此大胆，竟敢戏弄王爷，请王爷重罚！”没料到，薛仁贵听了，不但没有生气，反而命令执事官取来大碗，当众饮下三大碗清水。在场的人百思不得其解，薛仁贵喝完后说：“过去我落难时，全靠王兄弟夫妇的接济才得以过活，没有他们就没有我的今天。如今，我美酒不沾，厚礼不收，却一定要收下王兄弟送来的清水，因为我知道王兄弟家境贫寒，送清水是他的一番美意，这就叫‘君子之交淡如水’。”

薛仁贵与王茂生一家来往密切，成为一段“君子之交淡如水”的佳话。

交友要交心，浇花要浇根。

【解析】心灵之交才会肝胆相照，浇花要

jiāo dào gēn huā cái huì huó bǐ yù bàn shì zuò rén dōu yào zuò dào guān
浇到根花才会活。比喻办事做人都要做到关
jiàn bù zhòu
键步骤。

lì jù jiāo yǒu yào jiāo xīn jiāo huā yào jiāo gēn wǒ
【例句】“交友要交心，浇花要浇根”，我
men zhǐ yǒu zhè yàng cái néng jiāo dào zhēnzhèng de hǎo péng you
们只有这样才能交到真正的好朋友。

gēn zhe hǎo rén xué hǎo rén gēn zhe wū pó xià jiǎ shén
跟着好人学好人，跟着巫婆下假神。

jiě xī gēn suí zhe shén me yàng de rén jiù huì biàn chéng shén me
【解析】跟随着什么样的人就会变成什么
yàng xíng róng huán jìng duì rén de yǐng xiǎng jù dà
样，形容环境对人的影响巨大。

lì jù péng peng de bà ba shì yí gè qiān xū jǐn shèn de rén
【例句】朋朋的爸爸是一个谦虚谨慎的人，
péng peng yě yōng yǒu zhè yàng de pǐn zhì zhēn shì
朋朋也拥有这样的品质，真是
gēn zhe hǎo rén xué hǎo rén gēn zhe wū pó
“跟着好人学好人，跟着巫婆
xià jiǎ shén
下假神”。

guì yì jiāo fù yì qī
贵易交，富易妻。

jiě xī rén fù guì le jiù róng yì
【解析】人富贵了就容易
wàng diào jiù jiāo fù yǒu le jiù róng yì pāo qì
忘掉旧交，富有了就容易抛弃
qī zi
妻子。

lì jù guì yì jiāo fù yì qī
【例句】“贵易交，富易妻”
de rén zuì zhōng shì bú huì dé dào xìng fú de
的人，最终是不会得到幸福的。

【典故】

东汉光武帝一次与大臣宋弘闲谈时说："建国后，跟随我起义的将领都富贵了，不少人嫌结发妻子不漂亮就休掉了，又娶了年轻貌美的妻子；过去交往的朋友都是平民百姓，现在自己地位高了，这些老朋友也就不往来了，另外换了一批身居高位的人做朋友。我听说'贵易交，富易妻'，大概是人之常情吧！我也就不责备他们了。"

宋弘起身说："皇上，我听到的谚语不同，是'贫贱之交不可忘，糟糠之妻不下堂'，这才是人们崇尚的美德。您说的谚语，是人们对抛弃妻子和旧友行为的谴责！"光武帝于是下令，不许手下随便弃妻另娶。

贫贱之交不可忘，糟糠之妻不下堂。

【解析】穷困艰难的时候交的朋友不可以

wàng jì gòng guò huàn nàn de qī zi bù kě yǐ pāo qì
忘记，共过患难的妻子不可以抛弃。

lì jù jié hūn qián mǔ qīn bǎ ér zi jiào dào miàn qián shuō
【例句】结婚前，母亲把儿子叫到面前说：
cóng cǐ yǐ hòu nǐ jiù zhēn zhèng zhǎng dà le yǒu zì jǐ de zé rèn yì
“从此以后你就真正长大了，有自己的责任义
wù le yào zuò dào pín jiàn zhī jiāo bù kě wàng zāo kāng zhī qī bú
务了，要做到‘贫贱之交不可忘，糟糠之妻不
xià táng
下堂’。”

【典故】

dōng hàn chū nián dà sī kōng sòng hóng wéi rén zhèng zhí zuò guān qīng
东汉初年，大司空宋弘为人正直，做官清
lián duì huángshang zhí yán gǎn jiàn tā xiān hòu wèi hàn shì tuī jiàn hé
廉，对皇上直言敢谏。他先后为汉室推荐和
xuǎn bá xián néng zhī shì sān shí duō rén yǒu de hái guān zhì xiàng wèi guāng
选拔贤能之士三十多人，有的还官至相位。光
wǔ dì liú xiù duì tā shí fēn qì zhòng
武帝刘秀对他十分器重，
fēng tā wéi xuān píng hóu
封他为宣平侯。

guāng wǔ dì de
光武帝的
jiě jie hú yáng gōng zhǔ
姐姐湖阳公主
zhàng fu qù shì yǐ jiǔ
丈夫去世已久，
liú xiù yǒu yì jiāng gōng
刘秀有意将公
zhǔ jià gěi sòng hóng yú
主嫁给宋弘，于
shì jiù àn zhōng shì tan
是就暗中试探
jiě jie de yì si
姐姐的意思。

一天，光武帝与湖阳公主共论朝臣，湖阳公主说："宋公（宋弘）的威望、容貌、品德、器量，群臣莫及。"刘秀听后很高兴。不过刘秀知道宋弘已有妻子，就召见宋弘，让公主躲在屏风后听宋弘之意。

刘秀对宋弘说："俗话说，高贵了就忘掉了交情，富有了想另娶妻子，这是人之常情吗？"宋弘一听，就明白了刘秀的意思，答道："臣听说，对贫穷卑贱时的知心朋友不可忘，共患难的妻子不可抛弃。"光武帝听后，回过头向里边的湖阳公主说："此事不成呀。"

不打不成交。

【解析】泛指经过冲突而结识继而建立起情谊关系。

【例句】我们以前是死对头，现在却成了好朋友，真是"不打不成交"啊。

【典故】

我国四大古典名著之一《水浒》中讲道：宋江因犯案发配江州，遇到早就想结识他的戴宗和李逵，三人谈得投缘，便来到江边饮酒。吃喝间，李逵为祝酒兴，四处讨要活鱼下酒。

来到江边，不料渔人头领不在，其他人不肯给鱼。李逵大怒，跳上船，顺手拔开鱼篓。鱼篓没底儿，他这一拔，鱼全跑了。就这样，他一连放跑了好几篓鱼，惹怒了数十个渔人。大家拿起竹篙打李逵，无奈李逵力大，将竹篙通通扭断。这时，绰号叫“浪里白条”的渔人首领张顺来了，见李逵无理取闹，跟他交起手来。两人从船

shang dǎ dào jiāng àn yòu cóng jiāng àn dǎ dào jiāng li zhāng shùn shuǐ xìng
上打到江岸，又从江岸打到江里。张顺水性
hǎo jiāng lǐ kuí àn zài shuǐ zhōng měng qiāng jiù zài zhè shí dài zōng pǎo
好，将李逵按在水中猛呛。就在这时，戴宗跑
lái chòng zhāng shùn hǎn dào péng you xiān jiù le wǒ zhè wèi xiōng di
来，冲张顺喊道：“朋友，先救了我这位兄弟，
kuài shàng lái jiàn sòng jiāng yuán lái zhāng shùn shì dài zōng de péng you
快上来见宋江！”原来，张顺是戴宗的朋友，
píng shí yòu jìng yǎng sòng jiāng dà míng tīng dài zōng yì hǎn tā jí máng jiāng
平时又敬仰宋江大名，听戴宗一喊，他急忙将
lǐ kuí tuō shàng shuǐ miàn dài zōng xiàng zhāng shùn jiè shào zhè wèi shì wǒ
李逵托上水面。戴宗向张顺介绍：“这位是我
de xiōng di míng jiào lǐ kuí zhāng shùn dào ā yuán lái shì lǐ dà
的兄弟，名叫李逵。”张顺道：“啊，原来是李大
gē méi xiǎng dào yòng zhè zhǒng fāng shì jié shí le gē ge dài zōng kàn
哥！没想到用这种方式结识了哥哥。”戴宗看
zhe tā men dào jīn tiān nǐ men zhēn shì bù dǎ bù xiāng shí ya
着他们道：“今天你们真是不打不相识呀！”

yì sǐ yì shēng nǎi zhī jiāo qing
一死一生，乃知交情；
yì pín yí fù nǎi zhī jiāo tài
一贫一富，乃知交态；
yí guì yí jiàn jiāo qing nǎi xiàn
一贵一贱，交情乃现。

jiě xī jīng guò shēng sǐ cái néng zhī dào jiāo qing shēn qiǎn jīng
【解析】经过生死才能知道交情深浅，经
lì pín fù cái néng zhī dào gǎn qíng zhēn jiǎ jīng guò
历贫富才能知道感情真假，经过
dì wèi guì jiàn de zhuǎn biàn cái néng xiǎn xiàn zhēn zhèng
地位贵贱的转变才能显现真正
de gǎn qíng
的感情。

lì jù zài tā zuì kùn nan de shí hou
【例句】在他最困难的时候，
xiǎo yǔ réng rán zài shēn biān zhī chí tā bāng zhù tā
小雨仍然在身边支持他、帮助他，

zhēn shì yì sǐ yì shēng nǎi zhī jiāo qing yì pín yí fù nǎi zhī jiāo
真是“一死一生，乃知交情；一贫一富，乃知交
tài yí guì yí jiàn jiāo qing nǎi xiàn
态；一贵一贱，交情乃现”。

【典故】

hàn wǔ dì shí zhèngzhuāng hé jí qián liǎng rén dōu shì gāo guān mén
汉武帝时，郑庄和汲黯两人都是高官，门
xià bīn kè hěn duō zhè liǎng rén dōu shì qīng guān hòu lái bèi miǎn zhí
下宾客很多。这两人都是清官，后来被免职，
méi le shōu rù shí fēn pín qióng mén kè dà duō sì sàn ér qù dào
没了收入，十分贫穷，门客大多四散而去。到
liǎng rén qù shì shí jiā li jìng yì diǎnr jī xù yě méi yǒu yě wú
两人去世时，家里竟一点儿积蓄也没有，也无
rén bāng zhù liào lǐ sāng shì shí fēn qī liáng zhè shí qī yǒu gè zhái
人帮助料理丧事，十分凄凉。这时期有个翟
gōng shì dāng cháo de dà guān jiā li chángcháng bīn kè yíng mén
公，是当朝的大官，家里常常宾客盈门，
hòu lái zāo dào miǎn zhí bīn kè men fēn fēn
后来遭到免职，宾客们纷纷
lí tā ér qù mén kě luó què bù
离他而去，门可罗雀。不
jiǔ zhái gōng guān fù yuán zhí le
久，翟公官复原职了，
bīn kè men yòu fēn fēn shàng
宾客们又纷纷上
mén yú shì tā zài mén shang
门，于是他在门上
tiē yì tiáo fú yì sǐ yì
贴一条幅：一死一
shēng nǎi zhī jiāo qing yì
生，乃知交情；一
pín yí fù nǎi zhī jiāo tài
贫一富，乃知交态；
yí guì yí jiàn jiāo qing nǎi
一贵一贱，交情乃

xiàn bīn kè men jiàn le cán kuì ér tuì bù gǎn jìn mén
现。宾客们见了，惭愧而退，不敢进门。

kǒu yǒu mì fù yǒu jiàn
口有蜜，腹有剑。

jiě xī kǒu tóu shang shuō zhe xiàng mì táng yí yàng tián de huà
【解析】口头上说着像蜜糖一样甜的话，
xīn li què cáng zhe xiàng jiàn yí yàng wēi xiǎn de xiǎng fǎ
心里却藏着像剑一样危险的想法。

lì jù tā shì yí gè kǒu yǒu mì fù yǒu jiàn de rén
【例句】他是一个“口有蜜，腹有剑”的人，
wǒ men dōu bù xǐ huan tā
我们都不喜欢他。

【典故】

táng xuán zōng de chǒng chén lǐ lín fǔ cái
唐玄宗的宠臣李林甫才
yì chū zhòng yòu fēi cháng shàn yú chá yán guān
艺出众，又非常善于察言观
sè jīng cháng chuǎi cè yíng hé xuán zōng de
色，经常揣测、迎合玄宗的
yì si hái cháng yòng gè zhǒng shǒu duàn jié jiāo
意思，还常用各种手段结交
xuán zōng qīn xìn de huàn guān hé fēi zi
玄宗亲信的宦官和妃子。
yīn cǐ tā hěn dé xuán zōng de chǒng xìn
因此，他很得玄宗的宠信，
yì zhí zài cháo zhōng zuò le
一直在朝中做了
shí jiǔ nián de guān
十九年的官。
lǐ lín fǔ yǔ rén
李林甫与人
jiē chù què biǎo lǐ bù
接触却表里不

yī zài wài biǎo shang biǎo xiàn chū yǔ rén yǒu hǎo shàn jiě rén yì kě
一，在外表上表现出与人友好，善解人意，可
shì shí jì wán quán xiāng fǎn qí běn zhì shang shì gè jiǎo huá yīn xiǎn chù
是实际完全相反，其本质上是个狡猾阴险、处
chù hài rén de wěi jūn zǐ rì zi jiǔ le rén men jiù fā xiàn le
处害人的伪君子。日子久了，人们就发现了
tā de wěi shàn yú shì dà jiā biàn shuō tā kǒu shang tián tián mì mì xīn
他的伪善，于是大家便说他口上甜甜蜜蜜，心
zhōng lì jiàn hài rén jí kǒu yǒu mì fù yǒu jiàn
中利剑害人，即“口有蜜，腹有剑”。

wàn liǎng huáng jīn róng yì dé zhī xīn yí gè shì nán qiú
万两黄金容易得，知心一个世难求。

jiě xī huáng jīn jīng guò nǔ lì hái shi róng yì dé dào de
【解析】黄金经过努力还是容易得到的，
yí gè zhī xīn de hǎo péng you yě xǔ yì shēng dōu nán dé dào
一个知心的好朋友也许一生都难得到。

lì jù wàn liǎng huáng jīn róng yì dé zhī xīn yí gè shì nán
【例句】“万两黄金容易得，知心一个世难
qiú suǒ yǐ wǒ men yīng gāi hǎo hāo de zhēn xī shēn biān de hǎo péng you
求”，所以我们应该好好地珍惜身边的好朋友。

xiào zhōng yǒu dāo
笑中有刀。

jiě xī duì rén wài biǎo
【解析】对人外表
hé qi nèi xīn què yīn xiǎn dú là
和气，内心却阴险毒辣。

lì jù bú yào
【例句】不要
qīng yì gēn xiǎo lǐ dǎ jiāo
轻易跟小李打交
dào tā zhè rén xiào zhōng
道，他这人“笑中
yǒu dāo
有刀”。

【典故】

táng cháo yǒu gè zhōng shū shì láng lǐ yì fǔ píng cháng fēi cháng zhōng
唐朝有个中书侍郎李义府，平常非常忠
hòu wēn hé bú lùn gēn shéi shuō huà zǒng shì xiān zì jǐ liě kāi zuǐ xiào
厚温和，不论跟谁说话，总是先自己咧开嘴笑，
biǎo xiàn chū yí fù chéng kěn hé shàn liáng de yàng zi rì zi jiǔ le
表现出一副诚恳和善良的样子。日子久了，
dà jiā fā xiàn tā qí shí shì gè xīn dì kè bó de jiān zhà zhī tú
大家发现他其实是个心地刻薄的奸诈之徒，
chángcháng shǐ yòng yīn xiǎn jì cè hài rén suǒ yǐ dōu zài sī xià li shuō
常常使用阴险计策害人，所以都在私下里说
tā xiào zhōng yǒu dāo
他“笑中有刀”。

zuò fēng tài du
作风态度

yǐ yǎn huán yǎn yǐ yá huán yá
以眼还眼，以牙还牙。

jiě xī yòng dèng yǎn huí jī dèng yǎn yòng yá chǐ yǎo rén duì
【解析】用瞪眼回击瞪眼，用牙齿咬人对
fu yá chǐ yǎo rén zhǐ duì fāng shǐ yòng shén me shǒu duàn jiù yòng shén
付牙齿咬人。指对方使用什么手段，就用什
me shǒu duàn jìn xíng huí jī
么手段进行回击。

lì jù tā duì nà
【例句】他对那
xiē bēi bǐ de xiǎo rén xiàng lái
些卑鄙的小人向来
shì yǐ yǎn huán yǎn yǐ yá
是“以眼还眼，以牙
huán yá
还牙”。

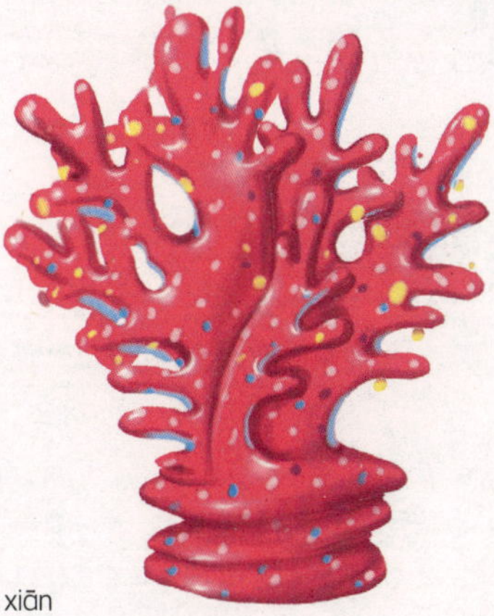

xiān xiǎo rén hòu jūn zǐ
先小人，后君子。

jiě xī xiān zuò xiǎo rén hòu
【解析】先做小人，后
zuò jūn zǐ zhǐ xiān bǎ jì jiào lì yì
做君子，指先把计较利益
dé shī de huà shuō zài qián tou rán hòu
得失的话说在前头，然后
zài jiǎng qíng yì
再讲情谊。

lì jù wǒ men chǒu huà shuō zài xiān
【例句】我们丑话说在先，
xiān xiǎo rén hòu jūn zǐ zhè yàng wǒ men cái néng hé zuò de cháng jiǔ
“先小人，后君子”，这样我们才能合作得长久。

fán huà kě tīng bù kě quán xìn
凡话可听，不可全信。

jiě xī bié ren de huà dōu kě yǐ tīng dàn zì jǐ yào yǒu
【解析】别人的话都可以听，但自己要有
pàn duàn bù néng quán bù xiāng xìn
判断，不能全部相信。

lì jù tā duì nà xiē xiǎo dào xiāo xi cóng lái dōu bào zhe fán
【例句】他对那些小道消息从来都抱着“凡
huà kě tīng bù kě quán xìn de tài du
话可听，不可全信”的态度。

hǎo shì bù chū mén è shì chuán qiān lǐ
好事不出门，恶事传千里。

jiě xī hǎo de shì qing bù róng yì chuán yáng chū lái huài de
【解析】好的事情不容易传扬出来，坏的
shì qing què hěn qīng yì xuān yáng kāi lái
事情却很轻易宣扬开来。

lì jù zhè shì yì suǒ hěn hǎo de yī yuàn jiù rén wú shù
【例句】这是一所很好的医院，救人无数，
què yīn wèi yì qǐ yī liáo shì gù nào de fèi fèi yáng yáng shēng míng sǎo
却因为一起医疗事故闹得沸沸扬扬，声名扫

地。真是“好事不出门，恶事传千里”啊。

【典故】

赵匡胤年轻时好打抱不平，乱世中从歹人手中救出一个名叫赵京娘的女子，护送其回家，一路上以兄妹相称。路上此女有意嫁给赵匡胤，但赵匡胤救她乃仗义行为，并没有个人私欲，便拒绝了。将赵京娘送到家中，其兄认为赵匡胤救其妹是因两人有私情，“好事不出门，坏事传千里”，若他不娶，没人愿娶，便一意让赵匡胤娶其妹，赵匡胤一气之下便上马而去。

fǎn tán pí pá yě dòng rén
反弹琵琶也动人。

jiě xī bǐ yù nì xiàng sī wéi de kě guì hé dú tè
【解析】比喻逆向思维的可贵和独特。

lì jù tā de sī xiǎng zǒng shì dú shù yí zhì fǎn tán pí
【例句】他的思想总是独树一帜，“反弹琵

pá yě dòng rén
琶也动人”。

shā rén bù zhǎ yǎn
杀人不眨眼。

jiě xī shā rén shí yǎn jing dōu bù zhǎ yí xià xíng róng jí
【解析】杀人时眼睛都不眨一下，形容极

qí xiōng hěn cán bào
其凶狠残暴。

lì jù tā zhè ge rén fēi cháng xiōng è zhēn shì shā rén bù
【例句】他这个人非常凶恶，真是“杀人不

zhǎ yǎn
眨眼”。

【典故】

sòng cháo yǒu gè xiōng
宋朝有个凶
hàn de jiāng jūn míng jiào cáo
悍的将军名叫曹
hàn yí cì tā qù
翰。一次，他去
lú shān sì yóu wán yì
庐山寺游玩，一
qún jiàng shì qián hū hòu
群将士前呼后
yōng yóu rén xià de
拥，游人吓得
sì sàn bēn táo tā
四散奔逃。他

men lái dào fó sì dà diàn què bú jiàn sēng rén qián lái jiē dài cáo
们来到佛寺大殿，却不见僧人前来接待。曹
hàn dài bīng lái dào fāng zhang fáng jiān kàn dào fāng zhang yǔ qí tā sēng rén
翰带兵来到方丈房间，看到方丈与其他僧人
bàn bì zhe yǎn sòng jīng bù qǐ shēn yě bù dǎ zhāo hu gēn běn méi bǎ
半闭着眼诵经，不起身也不打招呼，根本没把
tā fàng zài yǎn li yú shì bào nù dào nǐ men méi yǒu tīng shuō wǒ
他放在眼里，于是暴怒道：“你们没有听说我
shì shā rén bù zhǎ yǎn de jiāng jūn ma fāng zhang xīn píng qì hé
是‘杀人不眨眼’的将军吗？”方丈心平气和
de shuō nǐ méi yǒu jiàn guo bú jì shēng sǐ de hé shang ma cáo
地说：“你没有见过不计生死的和尚吗？”曹
hàn tīng le yí lèng huī liū liū de zǒu le
翰听了一愣，灰溜溜地走了。

kuài dāo zhǎn luàn má
快刀斩乱麻。

jiě xī bǐ yù zuò shì guǒ duàn néng cǎi qǔ jiān jué yǒu xiào de cuò shī hěn kuài jiě jué fù zá de wèn tí
【解析】比喻做事果断，能采取坚决有效的措施很快解决复杂的问题。

lì jù xiàn zài de gōng zuò qiān tóu wàn xù hái zhēn děi kuài dāo zhǎn luàn má bù rán jiù bù néng àn shí wán chéng rèn wu le
【例句】现在的工作千头万绪，还真得“快刀斩乱麻”，不然就不能按时完成任务了。

【典故】

nán běi cháo shí，běi qí gāo zǔ gāo huān yǒu wǔ liù gè ér zi，
南北朝时，北齐高祖高欢有五六个儿子，
tā xiǎng zhī dào shéi zuì cōng míng、zuì yǒu pò lì，yú shì xiǎng chū yí
他想知道谁最聪明、最有魄力，于是想出一
jì cè shì tā men。tā mìng rén qǔ chū yì duī luàn má，kàn shéi shū
计测试他们。他命人取出一堆乱麻，看谁梳
lǐ de zuì kuài。xiǎo ér zi gāo yáng bú yòng shǒu lǐ má，zhàn zài yì
理得最快。小儿子高洋不用手理麻，站在一
páng shuō："luàn zhě xū zhǎn。"shuō wán huī jiàn jiāng luàn má zhǎn duàn。
旁说："乱者须斩。"说完挥剑将乱麻斩断。
qí gāo zǔ rèn wéi gāo yáng chǔ lǐ fán luàn de shì hěn guǒ duàn，duì tā
齐高祖认为高洋处理繁乱的事很果断，对他
shí fēn xīn shǎng。
十分欣赏。

nìng wéi yù suì，bù wéi wǎ quán。
宁为玉碎，不为瓦全。

jiě xī　nìng zuò yù qì bèi dǎ suì，bú zuò ní wǎ dé yǐ
【解析】宁做玉器被打碎，不做泥瓦得以
bǎo quán。rén men cháng yòng zhè jù huà bǐ yù
保全。人们常用这句话比喻
nìng yuàn bǎo chí gāo shàng de qì jié sǐ qù，yě
宁愿保持高尚的气节死去，也
bú yuàn qū rǔ de huó zhe。
不愿屈辱地活着。

lì jù　tā zhè rén qì jié
【例句】他这人气节
hěn gāo，rén men dōu chēng tā "nìng wéi
很高，人们都称他"宁为
yù suì，bù wéi wǎ quán"。
玉碎，不为瓦全"。

【典故】

nán běi cháo shí qī běi qí wén xuān dì gāo yáng wèi gǒng gù tǒng
南北朝时期，北齐文宣帝高洋为巩固统
zhì dì wèi dà guī mó bǔ shā yuán běi wèi huáng dì qīn shǔ běi wèi
治地位，大规模捕杀原北魏皇帝亲属。北魏
huáng dì xìng yuán yīn cǐ suǒ yǒu xìng yuán de rén
皇帝姓“元”，因此所有姓元的人
dōu shí fēn kǒnghuāng dà nàn lín tóu
都十分恐慌，大难临头，
dà jiā còu zài yì qǐ shāngliang duì cè
大家凑在一起商量对策。
yǒu gè dǎn xiǎo de rén shuō
有个胆小的人说：
wǒ men bù rú xiàng
“我们不如向
gāo yáng qiú qíng ràng
高洋求情，让
wǒ men gǎi xìng gāo
我们改姓‘高’，
biǎo shì duì tā de yōng
表示对他的拥
hù jiù kě yǐ
护，就可以
bǎo mìng zhè
保命。”这
shí yǒu gè míng jiào yuán jǐng hào de rén tòng chì dào wǒ sǐ yě bù
时，有个名叫元景皓的人痛斥道：“我死也不
gǎi xìng dà zhàng fu nìng wéi yù suì bù wéi wǎ quán
改姓，大丈夫‘宁为玉碎，不为瓦全’。”

zhǐ zhī qí yī bù zhī qí èr
只知其一，不知其二。

jiě xī zhǐ zhī dào shì wù de yì fāng miàn ér bù zhī dào
【解析】只知道事物的一方面，而不知道

它的另一方面。

【例句】对于任何事情都要进行深入了解，不要“只知其一，不知其二”。

【典故】

刘邦统一天下，建立汉朝，一次问群臣：“你们说说，为什么我能战胜项羽？”高起和王陵两个大臣说：“您对部下言而有信，不论是谁攻占了城池，您就让他统管此地，所以人们愿意为您卖力。项羽妒贤忌能，忌有功之臣，猜疑贤士，立功之人也不记功，所以失去人心。”刘邦说：“你们知其一，不知其二。运筹帷幄之中，决胜千里之外，

我不如张良；镇国家、抚百姓，我不如萧何；统领百万大军，我不如韩信。他们都是英杰，我能信任他们，所以得到天下。项羽只有范增一个英才，却还不信任他，问题在此呀！”

缺点错误

人不犯错误，啥也不会做。

【解析】人如果不经过犯错到认识错误、改正错误的过程，就不会有进步。

【例句】“人不犯错误，啥也不会做”，你不要气馁，记住这次教训就行了。

任何改正都是进步。

【解析】任何对错误的认识和改正都能使人进步。

【例句】只要你虚心认错，“任

hé gǎi zhèng dōu shì jìn bù
何改正都是进步”。

chǐ yǒu suǒ duǎn cùn yǒu suǒ cháng
尺有所短，寸有所长。

jiě xī bǐ yù gè yǒu cháng
【解析】比喻各有长
chù yě gè yǒu duǎn chù bǐ cǐ dōu yǒu kě qǔ de dì fang
处，也各有短处，彼此都有可取的地方。

lì jù chǐ yǒu suǒ duǎn cùn yǒu suǒ cháng tā suī rán
【例句】“尺有所短，寸有所长”，他虽然
hěn yōu xiù dàn nǐ yě yǒu zì jǐ de yōu diǎn méi bì yào huī xīn
很优秀，但你也有自己的优点，没必要灰心。

qǔ rén zhī cháng bǔ jǐ zhī duǎn
取人之长，补己之短。

jiě xī xī qǔ bié ren de yōu diǎn yòng lái mí bǔ zì jǐ
【解析】吸取别人的优点，用来弥补自己
de bù zú
的不足。

lì jù wǒ men zhǐ yǒu qǔ rén zhī cháng bǔ jǐ zhī duǎn
【例句】我们只有“取人之长，补己之短”，
cái néng tí gāo zì jǐ de shuǐ píng
才能提高自己的水平。

rén fēi shèng xián shú néng wú guò guò ér néng gǎi shàn mò dà yān
人非圣贤，孰能无过；过而能改，善莫大焉。

jiě xī yì bān rén bú shì shèng rén hé xián rén shéi néng bú
【解析】一般人不是圣人和贤人，谁能不
fàn cuò cuò le néng gòu gǎi zhèng méi yǒu bǐ zhè gèng hǎo de le
犯错？错了能够改正，没有比这更好的了。

lì jù tā zhǔ dòngchéng rèn le zì jǐ de cuò wù dé dào
【例句】他主动承认了自己的错误，得到
le dà jiā de liàng jiě rén fēi shèng xián shú néng wú guò guò ér néng
了大家的谅解，“人非圣贤，孰能无过；过而能

gǎi　shàn mò dà yān
改，善莫大焉”。

rén yǒu shī zú　mǎ yǒu shī tí
人有失足，马有失蹄。

jiě xī　rén dōu yǒu fàn cuò wù de shí hou　jiù xiàng mǎ yǒu
【解析】人都有犯错误的时候，就像马有
shí yě huì shī tí diē dǎo yí yàng
时也会失蹄跌倒一样。

lì jù　zhè cì kǎo shì méi fā huī hǎo　bú guò méi guān
【例句】这次考试没发挥好，不过没关
xi　rén yǒu shī zú　mǎ yǒu shī tí　ma　xiāng xìn nǐ xià cì
系，“人有失足，马有失蹄”嘛，相信你下次
huì nǔ lì kǎo hǎo de
会努力考好的。

yì shī zú chéng qiān gǔ hèn
一失足成千古恨。

jiě xī　bǐ yù yí dàn
【解析】比喻一旦
fàn xià yán zhòng cuò wù huò duò luò
犯下严重错误或堕落，
jiù chéng wéi zhōng shēn de hàn shì
就成为终身的憾事。

lì jù　tā
【例句】他
méi tīng mā ma de huà hǎo
没听妈妈的话好
hǎor zuò rén　jié guǒ
好儿做人，结果
yīn tōu dào bèi pàn le
因偷盗被判了
xíng　zhēn shì　yì shī
刑，真是“一失
zú chéng qiān gǔ hèn　a
足成千古恨”啊！

【典故】

明朝才子唐伯虎出生在江南一个富商家庭，年轻时，无所事事，喜欢与人纵酒游乐。经过好朋友的几番规劝，他闭门苦读，16岁参加秀才考试，考中了第一名；29岁到南京参加乡试，又高中了第一名。正当唐伯虎积极准备来年的京城会试时，却飞来横祸：在这次乡试中，有人事先贿赂考官，提前知道了考题。事情泄漏后，考官被罢免，无辜的唐伯虎也受到了牵连，被关入监狱，经历了几年牢狱生活。释放后，唐伯虎感叹道：“一失足成千古恨，再回头是百年人。”

一不过二，二不过三。

【解析】有第一次不能有第二次，有第二次就绝对不能有第三次，常比喻做错事情后

yào jí shí xī qǔ jiào xun shì bú guò sān
要及时吸取教训，事不过三。

lì jù xiǎo míng yīn wèi tān wán yòu chí dào le lǎo shī duì
【例句】小明因为贪玩又迟到了，老师对

tā shuō nǐ xiān huí dào zuò wèi shang ba yī bú guò èr èr bú
他说：“你先回到座位上吧，‘一不过二，二不

guò sān yo
过三’哟！”

wáng yáng bǔ láo yóu wèi wéi wǎn
亡羊补牢，犹未为晚。

jiě xī yáng diū le jiù gǎn jǐn xiū bǔ yáng juàn hái bú suàn
【解析】羊丢了就赶紧修补羊圈，还不算

wǎn bǐ yù chū le wèn tí yǐ hòu xiǎng bàn fǎ bǔ jiù kě yǐ fáng
晚。比喻出了问题以后想办法补救，可以防

zhǐ jì xù shòu sǔn shī
止继续受损失。

lì jù wáng yáng bǔ láo yóu wèi wéi wǎn suǒ yǐ dāng
【例句】“亡羊补牢，犹未为晚”，所以当

wǒ men zuò cuò shì qing de shí hou yí dìng yào jí shí gǎi zhèng
我们做错事情的时候，一定要及时改正。

【典故】

zhàn guó shí chǔ guó yǒu gè
战国时，楚国有个

dà chén jiào zhuāng xīn yí cì tā duì
大臣叫庄辛，一次他对

chǔ xiāng wáng shuō nín zài gōng li
楚襄王说：“您在宫里，

zuǒ bian shì zhōu hóu yòu bian shì xià
左边是州侯，右边是夏

hóu chū qù shí yān líng jūn děng rén
侯；出去时，鄢陵君等人

yòu zǒng gēn suí zhe nín tā men yǔ
又总跟随着您。他们与

nín zhuānjiǎng shē chǐ yín lè zhī shì bù tán guó shì chǔ guó yǒu miè wáng
您专讲奢侈淫乐之事，不谈国事，楚国有灭亡
de wēi xiǎn ya
的危险呀！”

xiāngwáng tīng le mà dào nǐ gù yì shuō zhè xiē xiǎn è de huà
襄王听了骂道：“你故意说这些险恶的话
rǎo luàn rén xīn ma
扰乱人心吗？”

zhuāng xīn dá dào wǒ què shí gǎn dào shì qing yào fā zhǎn dào
庄辛答道：“我确实感到事情要发展到
zhè ge chéng dù le bú shì hú shuō de
这个程度了，不是胡说的。
rú guǒ nín yì zhí chǒng xìn zhè jǐ gè rén
如果您一直宠信这几个人，
chǔ guó yí dìng huì miè wáng nín bú xìn
楚国一定会灭亡。您不信
wǒ de huà qǐng yǔn xǔ wǒ dào zhào guó duǒ
我的话，请允许我到赵国躲
yì duǒ kàn shì tài huì zěn yàng fā zhǎn
一躲，看事态会怎样发展。”

zhuāng xīn dào zhào guó wǔ gè yuè hòu
庄辛到赵国五个月后，
qín guó jiù chū bīng gōng chǔ xiāngwáng bèi pò
秦国就出兵攻楚，襄王被迫
liú wáng yáng chéng xiāng wáng zhè cái gǎn dào
流亡阳城。襄王这才感到
zhuāng xīn de huà yǒu dào lǐ jí máng pài rén
庄辛的话有道理，急忙派人
zhǎo huí zhuāng xīn wèn tā gāi zěn me bàn
找回庄辛，问他该怎么办。

zhuāng xīn chéng kěn de shuō wǒ tīng shuō guo kàn jiàn tù zi xiǎng qǐ liè
庄辛诚恳地说：“我听说过，看见兔子想起猎
quǎn zhè hái bù wǎn yáng pǎo diào le cái bǔ yáng juàn yě hái bù chí
犬，这还不晚；羊跑掉了才补羊圈，也还不迟。
suǒ yǐ dà wáng bú yào huī xīn zhǐ yào nǔ lì wǒ men hái shi yǒu
所以，大王不要灰心，只要努力，我们还是有
xī wàng de
希望的。”

ān yì lǎn duò
安逸懒惰

ān yì chū lǎn hàn nì jìng chū yīng xióng
安逸出懒汉，逆境出英雄。

jiě xī rén zài ān yì de huán jìng zhōng huì yǎng chéng lǎn duò de xí guàn ér jiān kǔ de nì jìng zé néng mó liàn chū yīng xióng
【解析】人在安逸的环境中会养成懒惰的习惯，而艰苦的逆境则能磨炼出英雄。

lì jù ān yì chū lǎn hàn nì jìng chū yīng xióng wǒ men yào gěi zì jǐ dìng lì mù biāo nǔ lì qián jìn
【例句】“安逸出懒汉，逆境出英雄”，我们要给自己订立目标，努力前进。

dāo bù mó yào biàn dùn rén lǎn duò yào biàn bèn
刀不磨要变钝，人懒惰要变笨。

jiě xī dāo bù jīng cháng mó jiù huì biàn de hěn dùn rén rú guǒ lǎn duò jiù huì biàn bèn
【解析】刀不经常磨就会变得很钝，人如果懒惰就会变笨。

lì jù dāo bù mó yào biàn dùn rén lǎn duò yào biàn bèn zài xué xí shang wǒ men jué bù néng tōu lǎn
【例句】“刀不磨要变钝，人懒惰要变笨”，在学习上我们决不能偷懒。

yì qín shēng bǎi qiǎo yì lǎn shēng bǎi bìng
一勤生百巧，一懒生百病。

jiě xī qín láo kě yǐ ràng rén líng qiǎo lǎn duò róng yì ràng rén rǎn shàng hěn duō máo bìng
【解析】勤劳可以让人灵巧，懒惰容易让人染上很多毛病。

lì jù mì fēng mā ma jīng cháng jiào dǎo xiǎo mì fēng men yào hǎo
【例句】蜜蜂妈妈经常教导小蜜蜂们要好
hǎo cǎi mì yì qín shēng bǎi qiǎo yì lǎn shēng bǎi bìng
好采蜜，“一勤生百巧，一懒生百病”。

pín fù qián cái
贫富钱财

yǒu qián néng shǐ guǐ tuī mò
有钱能使鬼推磨。

jiě xī xíng róng yǒu le qián shén me shì qing dōu kě néng bàn dào
【解析】形容有了钱，什么事情都可能办到。
lì jù nǐ bú yào yǐ wéi yǒu qián néng shǐ guǐ tuī mò
【例句】你不要以为“有钱能使鬼推磨”，
yǒu xiē dōng xi shì yòng jīn qián mǎi bu dào de
有些东西是用金钱买不到的。

【典故】

xī jìn shí de wén xué jiā lǔ bāo xiě guò yì piān zhù míng de qián
西晋时的文学家鲁褒写过一篇著名的《钱
shén lùn qí zhōng yǐn yòng le yí jù dāng shí liú chuán de yàn yǔ qián
神论》，其中引用了一句当时流传的谚语：“钱
wú ěr kě shǐ guǐ zài liú chuán de guò chéngzhōng dà jiā yòu bǎ tā
无耳，可使鬼。”在流传的过程中，大家又把它
fēng fù wéi yǒu qián néng shǐ guǐ tuī mó le
丰富为“有钱能使鬼推磨”了。

nán cháo sòng liú yì qìng biān xiě le yí bù zhì guài de xiǎo shuō
南朝宋刘义庆编写了一部志怪的小说，
jiào yōu míng lù qí zhōng yǒu zhè yàng yí gè gù shi
叫《幽明录》，其中有这样一个故事：

yǒu yí gè rén sǐ le chéng le xīn guǐ tā hěn shòu ruò hū
有一个人死了，成了新鬼，他很瘦弱。忽
rán kàn jiàn yí gè sǐ qù duō nián de hǎo yǒu zhǎng de bái bái pàng pàng
然看见一个死去多年的好友，长得白白胖胖

的。老友看见他那么瘦弱，就奇怪地问他：“你怎么会这样呢？”他说：“我没有东西吃，饿得难受，你有什么好的方法，可以教给我吗？”好友说：“这很容易。你去那些人家作祟，闹出点吓人的事来，人们一害怕，就会供养你，给你东西吃了。瘦鬼高高兴兴地到人间到处寻找作祟的对象。他看见有一户人家，厨房中有一个石磨，就飞快地推起来。轰隆隆的声音惊动了这家人，他们到厨房一看，见没有人推，石磨自己在飞快地转动，就高兴地说：“这一定是老天爷可怜我们贫穷，来帮助我们了。”于是赶紧拿来麦子，堆到磨上。瘦鬼推了一夜的磨，把麦子全磨成了面，却一点吃的都没有得到。

瘦鬼又跑到其他地方去作祟，终于有人害怕了，给他准备了酒食。

后来，这个故事就慢慢演变成“有钱能使鬼推磨”，还编出了许多故事。

yǒu qián zǒu biàn tiān xià, wú qián cùn bù nán xíng
有钱走遍天下，无钱寸步难行。

jiě xī yǒu le qián cái néng yóu zǒu shì jiè gè dì, méi qián zǒu yí bù dōu hěn jiān nán.

【解析】有了钱才能游走世界各地，没钱走一步都很艰难。

lì jù zài fēng jiàn shè huì, zhǐ rèn jīn qián bú rèn cái, "yǒu qián zǒu biàn tiān xià, wú qián cùn bù nán xíng".

【例句】在封建社会，只认金钱不认才，“有钱走遍天下，无钱寸步难行”。

【典故】

táng cháo shí, lì bù guǎn lǐ guān yuán de xuǎn yòng hé shēng qiān, quán lì hěn dà. nà shí céng yǒu gè míng jiào zhèng ān de rén, dān rèn lì bù shì láng, tā tān wū shòu huì、mài guān yù jué. yǒu qián de hòu xuǎn rén gěi tā xíng huì hòu lì kè dé dào hǎo wèi zhì, méi qián de rén yì děng jǐ nián yě bú rèn yòng. dāng shí, yǒu gè hòu xuǎn guān yǐ jīng děng le liǎng nián le, xīn li yòu qì yòu jí. yì tiān, tā zài xié dài shang

唐朝时，吏部管理官员的选用和升迁，权力很大。那时曾有个名叫郑谙的人，担任吏部侍郎，他贪污受贿、卖官鬻爵。有钱的候选人给他行贿后立刻得到好位置，没钱的人一等几年也不任用。当时，有个候选官已经等了两年了，心里又气又急。一天，他在鞋带上

jì shàng yì bǎi duō gè tóng qián qù jiàn zhèng ān zhèng ān kàn le hěn qí
系上一百多个铜钱去见郑谙。郑谙看了很奇
guài zhǐ zhe tā xié shang de qián shuō nǐ zěn me bǎ tā jì zài jiǎo
怪，指着他鞋上的钱说：“你怎么把它系在脚
shang nà rén shuō yàn yǔ jiǎng yǒu qián zǒu biàn tiān xià wú qián
上？”那人说：“谚语讲‘有钱走遍天下，无钱
cùn bù nán xíng wǒ yīn wèi cùn bù nán xíng suǒ yǐ cái jì shàng tā
寸步难行’，我因为寸步难行，所以才系上它
a zhèng ān tīng le zhī dào shì zài fěng cì zì jǐ xīn zhōng nǎo
啊！”郑谙听了，知道是在讽刺自己，心中恼
nù yòu bù hǎo dāng miàn fā zuò chū lái
怒又不好当面发作出来。

qióng pà lái kè fù pà lái zéi
穷怕来客，富怕来贼。

jiě xī qióng rén jiā pà lái kè rén yīn wèi méi yǒu dōng xi
【解析】穷人家怕来客人，因为没有东西
zhāo dài fù rén jiā pà zhāo zéi yīn wèi pà bèi tōu
招待；富人家怕招贼，因为怕被偷。

lì jù rén gè yǒu gè de fán nǎo qióng pà lái kè fù
【例句】人各有各的烦恼，“穷怕来客，富
pà lái zéi
怕来贼”。

qióng rén shēng bìng yán wang tǎo zhài
穷人生病，阎王讨债。

jiě xī bǐ yù qióng rén shēng bìng méi
【解析】比喻穷人生病没
qián kàn bìng shí zhǐ néng děng sǐ
钱看病时，只能等死。

lì jù zhè ge xiǎo gōng sī gāng gāng
【例句】这个小公司刚刚
qǐ bù jiù yù dào le zhè me dà de bō
起步，就遇到了这么大的波
zhé hǎo bǐ qióng rén shēng bìng yán wang tǎo zhài
折，好比“穷人生病，阎王讨债”。

fù jiā yì xí jiǔ qióng hàn bàn nián liáng
富家一席酒，穷汉半年粮。

jiě xī yǒu qián rén jiā yì zhuō jiǔ xí de huā fèi gòu qióng rén jiā mǎi bàn nián chī de liáng shi
【解析】有钱人家一桌酒席的花费够穷人家买半年吃的粮食。

lì jù tā jiā tè bié yǒu qián měi dùn fàn dōu hěn shē chǐ zhēn shì fù jiā yì xí jiǔ qióng hàn bàn nián liáng a
【例句】他家特别有钱，每顿饭都很奢侈，真是“富家一席酒，穷汉半年粮”啊。

tiān wú yí yuè yǔ rén wú yí shì qióng
天无一月雨，人无一世穷。

jiě xī tiān bú huì lián xù yí gè yuè dōu xià yǔ rén yě méi yǒu yí bèi zi dōu qióng de
【解析】天不会连续一个月都下雨，人也没有一辈子都穷的。

lì jù tiān wú yí yuè yǔ rén wú yí shì qióng rén zhǐ yào kěn nǔ lì zǒng huì yǒu chū tóu zhī rì de
【例句】“天无一月雨，人无一世穷”，人只要肯努力，总会有出头之日的。

qióng jū nào shì wú rén wèn fù zài shēn shān yǒu yuǎn qīn
穷居闹市无人问，富在深山有远亲。

jiě xī pín qióng de shí hou zài xuān nào de jiē shì dōu méi rén lǐ cǎi fù yǒu le jí shǐ zài shēn shān lǐ miàn dōu huì yǒu rén shàng mén rèn qīn
【解析】贫穷的时候，在喧闹的街市都没人理睬；富有了，即使在深山里面都会有人上门认亲。

lì jù zài wǒ men de hé xié shè huì li rén men zài yě bú shì qióng zài nào shì wú rén wèn fù zài shēn shān yǒu yuǎn qīn le
【例句】在我们的和谐社会里，人们再也不是“穷在闹市无人问，富在深山有远亲”了。

yì fēn qián néng bī sǐ yīng xióng hàn
一分钱能逼死英雄汉。

jiě xī quē shǎo yì fēn qián yě néng ràng yīng xióng hǎo hàn zǒu tóu wú lù
【解析】缺少一分钱，也能让英雄好汉走投无路。

lì jù jīn qián bú shì wàn néng de zhǐ yào dà jiā shēn chū yuán zhù de shǒu jiù bú huì yǒu yì fēn qián néng bī sǐ yīng xióng hàn de shì qing fā shēng le
【例句】金钱不是万能的，只要大家伸出援助的手，就不会有“一分钱能逼死英雄汉”的事情发生了。

qián néng chéng shì yě néng huài shì
钱能成事，也能坏事。

jiě xī qián suī rán néng bàn chéng hěn duō shì qing dàn yǒu shí yě huì bǎ shì qing nòng zāo
【解析】钱虽然能办成很多事情，但有时也会把事情弄糟。

lì jù qián néng chéng shì yě néng huài shì suǒ yǐ wǒ jué bú rèn wéi qián shì wàn néng de
【例句】“钱能成事，也能坏事”，所以我决不认为钱是万能的。

qián yào yòng zài dāo rèn shang
钱要用在刀刃上。

jiě xī qián yào huā zài guān jiàn de dì fang
【解析】钱要花在关键的地方。

lì jù tā míng bai qián yào yòng zài dāo rèn shang jiù bǎ píng shí zǎn de líng yòng qián zài mǔ qīn jié nà tiān gěi mā ma mǎi le jiàn piào liang shí yòng de lǐ wù
【例句】她明白“钱要用在刀刃上”，就把平时攒的零用钱在母亲节那天给妈妈买了件漂亮实用的礼物。

tiān xià rǎng rǎng jiē wèi lì wǎng
天下攘攘，皆为利往；
tiān xià xī xī jiē wèi lì lái
天下熙熙，皆为利来。

jiě xī tiān xià de rén xī xī rǎng rǎng dōu shì wèi le lì ér wǎng lái bēn máng
【解析】天下的人熙熙攘攘，都是为了利而往来奔忙。

lì jù wǒ men yào bìng qì tiān xià rǎng rǎng jiē wèi lì wǎng tiān xià xī xī jiē wèi lì lái de sī xiǎng
【例句】我们要摒弃“天下攘攘，皆为利往；天下熙熙，皆为利来”的思想。

qián cái rú fèn tǔ rén yì zhí qiān jīn
钱财如粪土，仁义值千金。

jiě xī yǔ rén yì xiāng bǐ qián cái jiù xiàng fèn tǔ yí yàng bù zhí qián
【解析】与仁义相比，钱财就像粪土一样不值钱。

lì jù tā de rén shēng xìn tiáo shì qián cái rú fèn tǔ rén yì zhí qiān jīn
【例句】他的人生信条是：“钱财如粪土，仁义值千金。”

kēng mēng tōu qiè
坑蒙偷窃

guà yáng tóu mài gǒu ròu
挂羊头，卖狗肉。

jiě xī bǐ yù biǎo lǐ bù yī kēng mēng guǎi piàn
【解析】比喻表里不一，坑蒙拐骗。

lì jù xiàn zài yǒu hěn duō shēng yi rén
【例句】现在有很多生意人

“挂羊头，卖狗肉”，大家要小心，不要上当。

【典故】

春秋时期，齐灵公喜欢宫女穿男装。此风一开，齐国妇女群起效仿，闹出许多男女不分的笑话。灵公怕有伤风化而影响齐国的声誉，急令各地禁止女扮男装。但竟遇到“令不行，禁不止”的尴尬局面。大臣晏子进言：“大王在宫内提倡女扮男装，而在宫外却加以严禁，就好比有的肉店，外面挂的是牛头，可里面却卖的是马肉，这样怎能禁得住呢？如果你在宫内禁

zhǐ wài miàn de fù nǚ qǐ gǎn bù zūn
止，外面的妇女岂敢不遵。”
hòu lái zhè zé sú yǔ jiù yǐn shēn wéi guà
后来，这则俗语就引申为“挂
yáng tóu mài gǒu ròu le
羊头，卖狗肉”了。

wǔ wu gài gai shì bì yǒu guài
捂捂盖盖，事必有怪。

jiě xī xíng róng yí gè rén zuò le kuī xīn shì xīn xū de biǎo xiàn
【解析】形容一个人做了亏心事，心虚的表现。

lì jù wǔ wu gài gai shì bì yǒu guài tā zhè yàng yuè fā ràng rén huái yí
【例句】“捂捂盖盖，事必有怪”，他这样越发让人怀疑。

hú li wěi ba cáng bu zhù
狐狸尾巴藏不住。

jiě xī bǐ yù gàn le huài shì zǒng yǒu yì tiān huì bài lù
【解析】比喻干了坏事总有一天会败露。

lì jù hú li wěi ba cáng bu zhù nǐ de jì huà zǎo wǎn dōu huì bài lù de
【例句】“狐狸尾巴藏不住”，你的计划早晚都会败露的。

zuò zéi xīn xū
做贼心虚。

jiě xī zuò le huài shì pà bié ren chá jué chū lái ér xīn li huángkǒng bù ān
【解析】做了坏事怕别人察觉出来而心里惶恐不安。

lì jù nǐ míng xiǎn zuò zéi xīn
【例句】你明显“做贼心

xū zhè jiàn shì qing kěn dìng shì nǐ zuò de
虚”，这件事情肯定是你做的。

xiǎo shí tōu zhēn dà le tōu jīn
小时偷针，大了偷金。

jiě xī xiǎo de shí hou tōu zhēn yí yàng de xiǎo jiàn dōng xi
【解析】小的时候偷针一样的小件东西，
zhǎng dà le jiù gǎn tōu xiàng jīn zi yí yàng guì zhòng de dōng xi
长大了就敢偷像金子一样贵重的东西。

lì jù bú shì zì jǐ de dōng xi zài xiǎo dōu bù néng ná
【例句】不是自己的东西再小都不能拿，
xiǎo shí tōu zhēn dà le tōu jīn
“小时偷针，大了偷金”。

tōu jī bù chéng shí bǎ mǐ
偷鸡不成蚀把米。

jiě xī bǐ yù huài shì méi gàn chéng
【解析】比喻坏事没干成，
què gěi zì jǐ zào chéng le sǔn shī
却给自己造成了损失。

lì jù tā zhèng tōu dōng xi de shí
【例句】他正偷东西的时
hou bèi jǐng chá zhuā zhù le yìng le nà jù huà
候被警察抓住了，应了那句话：
tōu jī bù chéng shí bǎ mǐ
“偷鸡不成蚀把米。”

bú pà zéi tōu jiù pà zéi xiǎng
不怕贼偷，就怕贼想。

jiě xī yì si jiù shì bú pà zéi xiàn zài tōu nǐ de dōng
【解析】意思就是不怕贼现在偷你的东
xi jiù pà bèi tā dīng shàng nà kě má fan le xiàn zài tōu nǐ
西，就怕被他盯上，那可麻烦了。现在偷你，
wēi xiǎn shì zàn shí de bèi tā dīng shàng nà kě shì shí shí kè kè dōu
危险是暂时的，被他盯上那可是时时刻刻都

有危险。

【例句】“不怕贼偷，就怕贼想”，我们还是小心点儿好。

阿谀奉承

阿谀人人喜，直言个个嫌。

【解析】阿谀奉承的话人人爱听，真话人人都嫌弃。

【例句】现在已经不是那个“阿谀人人喜，直言个个嫌”的时代了。

良药苦口利于病，忠言逆耳利于行。

【解析】良药虽然苦，但是对疾病的康复是有利的；忠言虽然很刺耳，但是对于以后的德行操守是有好处的。

【例句】“良药苦口利于病，忠言逆耳利于行”，

tā xīn rán jiē shòu le dà jiā de yì jiàn
他欣然接受了大家的意见。

qiǎo yán bù rú zhí dào
巧言不如直道。

jiě xī wěi wǎn de shuō dào bù rú zhí jiē shuō chū lái
【解析】委婉地说倒不如直接说出来。

lì jù qiǎo yán bù rú zhí dào nǐ shuō huà jiù bú yào guǎi wān mò jiǎo le
【例句】“巧言不如直道”，你说话就不要拐弯抹角了。

ē yú fèng cheng děng yú bàn gè rǔ mà
阿谀奉承等于半个辱骂。

jiě xī fèng cheng bié ren de shí hou yīn wèi bú shì zhēn xīn de děng yú duì bié ren de bù zūn zhòng
【解析】奉承别人的时候，因为不是真心的，等于对别人的不尊重。

lì jù ē yú fèng cheng děng yú bàn gè rǔ mà wǒ men zuò rén yí dìng yào chéng shí bú yào xū wěi
【例句】“阿谀奉承等于半个辱骂”，我们做人一定要诚实，不要虚伪。

xǐ huan dāng miàn chuī pěng bié ren de rén
喜欢当面吹捧别人的人，
wǎng wǎng huì zài bèi hòu wā ku bié ren
往往会在背后挖苦别人。

jiě xī xíng róng qián hòu bù yī de chǒu è zuǐ liǎn
【解析】形容前后不一的丑恶嘴脸。

lì jù xǐ huan dāng miàn chuī pěng bié ren de rén wǎng wǎng huì zài bèi hòu wā ku bié ren wǒ men yào xué huì shí bié zhè yàng xū wěi de liǎng miàn pài
【例句】“喜欢当面吹捧别人的人，往往会在背后挖苦别人”，我们要学会识别这样虚伪的两面派。

tān lán jiān huá
贪婪奸猾

yù duō shāng shēn cái duō lèi shēn
欲多伤身，财多累身。

jiě xī yù wàng tài duō le huì shāng hài shēn tǐ qián tài duō le yě huì zào chéng fù dān
【解析】欲望太多了会伤害身体，钱太多了也会造成负担。

lì jù rén bù néng tài tān lán yù duō shāng shēn cái duō lèi shēn a
【例句】人不能太贪婪，“欲多伤身，财多累身”啊。

rén xīn nán mǎn yù hè nán tián
人心难满，欲壑难填。

jiě xī rén de xīn zǒng shì nán yǐ mǎn zú de tān lán yù wàng de gōu hè shì nán yǐ tián píng de
【解析】人的心总是难以满足的，贪婪欲望的沟壑是难以填平的。

lì jù rén xīn nán mǎn yù hè nán tián tā yíng le nà me duō qián hái xiǎng zài dǔ yì bǎ dà de
【例句】“人心难满，欲壑难填”，他赢了那么多钱，还想再赌一把大的。

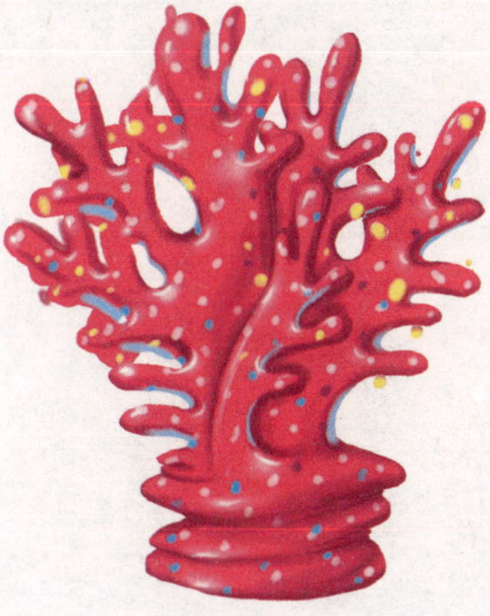

tān chī de yú yì shàng gōu
贪吃的鱼易上钩。

jiě xī bǐ yù tān lán róng yì shǐ rén shàng dàng shòu piàn
【解析】比喻贪婪容易使人上当受骗。

【例句】“贪吃的鱼易上钩”，他肯定会掉进圈套里去的。

贪多嚼不烂。

【解析】比喻做事贪多，超过自己的能力，反而做不好。

【例句】我们集中精力把一件事做好才是上上策，“贪多嚼不烂”。

【典故】

《红楼梦》中写道：贾宝玉要去上学，大丫头袭人早已把书、笔备好，坐在床沿上发愣，宝玉见了便问为何。袭人答道：“读书就专心读，不要总想着玩闹。学习要慢

màn lái yī zé tān duō jiáo bu làn èr zé shēn zi yào jǐn zhè li
慢来，一则贪多嚼不烂，二则身子要紧。”这里
tān duō jiáo bu làn de yì si shì xué xí bù néng yí wèi qiú duō
“贪多嚼不烂”的意思是学习不能一味求多，
fǒu zé bù néng lǐ jiě
否则不能理解。

gǒu tóu shang gē bu zhù gǔ tou
狗头上搁不住骨头。

jiě xī gǒu de tóu shang fàng bu zhù gǔ tou yǒu yáng luò hǔ
【解析】狗的头上放不住骨头，有羊落虎
kǒu de yì si
口的意思。

lì jù bǎ zhè jiàn dōng xi jiāo gěi tā jiǎn zhí jiù shì gǒu
【例句】把这件东西交给他简直就是“狗
tóu shang gē bu zhù gǔ tou
头上搁不住骨头”。

【典故】

táng cháo shí yǒu gè dào guàn guàn li ràng yí
唐朝时有个道观，观里让一
gè míng jiào péi yuán zhì de dào shi
个名叫裴元智的道士
kān guǎn cái chǎn shéi zhī tā
看管财产，谁知他
jìng bǎ qián cái quán dōu tōu zǒu
竟把钱财全都偷走
le lín zǒu shí tā
了。临走时，他
zài qǐn shì de qiángshang tí
在寝室的墙上题
le yì shǒu shī jiāng ròu
了一首诗：“将肉
qiǎn láng shǒu zhì gǔ xiàng
遣狼守，置骨向

gǒu tóu zì fēi ā luó hàn yān néng miǎn de tōu
狗头。自非阿罗汉，焉能免得偷。”

yì si shì nǐ men pài wǒ shǒu cái wù hǎo xiàng pài láng shǒu féi
意思是：你们派我守财物，好像派狼守肥

ròu yòu xiàng wǎng gǒu tóu shang fàng gǔ tou wǒ yòu bú shì huó pú sà
肉，又像往狗头上放骨头。我又不是活菩萨，

zěn néng bù tōu ne zhòng dào shi jiàn le yòu qì yòu hǎo xiào zhè jù
怎能不偷呢？众道士见了又气又好笑。这句

huà shuō míng jiāng cái wù jiāo gěi tān xīn de rén guǎn shì kào bu zhù de
话说明将财物交给贪心的人管是靠不住的。

zhī zú zhě cháng lè
知足者常乐。

jiě xī dǒng de mǎn zú de rén huì cháng cháng gǎn dào kuài lè
【解析】懂得满足的人会常常感到快乐。

lì jù rén bú yào tài tān xīn zhī zú zhě cháng lè
【例句】人不要太贪心，“知足者常乐”。

【典故】

chūn qiū shí róng shū gōng de hòu rén
春秋时，荣叔公的后人

róng qǐ qī jīng tōng yīn lǜ bó xué duō
荣启期精通音律，博学多

cái dàn zài zhèng zhì shang bìng
才，但在政治上并

bù dé zhì lǎo nián shí
不得志。老年时，

tā jīng cháng zài jiāo yě
他经常在郊野

gǔ qín chàng gē bìng yǐ
鼓琴唱歌，并以

cǐ wéi lè
此为乐。

yǒu yì tiān
有一天，

孔子路过这里，急急忙忙走上前去，拱手问道：“我久慕先生为乐道宿儒，但不知先生所认为的乐是什么？”

荣启期仰天长笑：“让我乐的有很多：天生万物，只有人最为灵透和尊贵，我既然生为人，便是一乐；人寿长短不定，黄泉路上无老少，可我今年已经95岁了，便又是一乐。贫穷，本是常事，死亡，是人生的终局，一个人能够平安地终老一生，有什么不乐的呢？”

孔子听后，不由得赞许道：“先生是一个知足常乐的人，确实难得呀。”

吃着碗里，瞧着锅里。

【解析】形容人贪心不足。

【例句】他经常“吃着碗里，瞧着锅里”，最后落得人财两空。

chī le rén jia de zuǐ ruǎn ná le rén jia de shǒu duǎn
吃了人家的嘴软，拿了人家的手短。

jiě xī bǐ yù dé dào le bié ren de hǎo chù jiù bù hǎo zài jù jué bié ren de yāo qiú
【解析】比喻得到了别人的好处，就不好再拒绝别人的要求。

lì jù nǐ shì bu shì chī le rén jia de zuǐ ruǎn ná le rén jia de shǒu duǎn cái zhè me tì tā shuō huà a wǒ shēng qì de wèn dào
【例句】“你是不是‘吃了人家的嘴软，拿了人家的手短’，才这么替他说话啊？”我生气地问道。

bù tān pián yi bú shàngdàng shàngdàng zhǐ yīn tān pián yi
不贪便宜不上当，上当只因贪便宜。

jiě xī tān tú pián yi de rén róng yì shàngdàng bù xiǎng shàng dàng jiù bié tān pián yi
【解析】贪图便宜的人容易上当，不想上当就别贪便宜。

lì jù mǎi dōng xi zuì zhòng yào de shì kàn zhì liàng ér bù néng zhǐ kàn jià qián bù tān pián yi bú shàngdàng shàngdàng zhǐ yīn tān pián yi
【例句】买东西最重要的是看质量而不能只看价钱，“不贪便宜不上当，上当只因贪便宜”。

zì sī zì lì
自私自利

gè jiā zì sǎo mén qián xuě
各家自扫门前雪，
mò guǎn tā rén wǎ shang shuāng
莫管他人瓦上霜。

jiě xī gè rén gù gè rén bú guǎn bié ren de xián shì
【解析】各人顾各人，不管别人的闲事。

lì jù wǒ men shì yí gè jí tǐ yào hù bāng hù zhù bù
【例句】我们是一个集体，要互帮互助，不
néng gè jiā zì sǎo mén qián xuě mò guǎn tā rén wǎ shang shuāng
能“各家自扫门前雪，莫管他人瓦上霜”。

féi shuǐ bù liú wài rén tián
肥水不流外人田。

jiě xī bǐ yù yǒu le hǎo chù bù néng ràng gěi wài rén
【解析】比喻有了好处不能让给外人。
lì jù wǒ bǎ zhè ge hǎo xiāo xi jiù gào su gěi wǒ hǎo péng
【例句】我把这个好消息就告诉给我好朋
you yí gè rén le féi shuǐ bù liú wài rén tián ma
友一个人了，“肥水不流外人田”嘛。

shì bù guān jǐ gāo gāo guà qǐ
事不关己，高高挂起。

jiě xī yǔ zì jǐ wú guān de shì qing jiù gē zài yì biān
【解析】与自己无关的事情，就搁在一边
bù guǎn
不管。
lì jù nǐ men bú yào dōu yí fù
【例句】你们不要都一副
shì bù guān jǐ gāo gāo guà qǐ de yàng zi
“事不关己，高高挂起”的样子，
zhè jiàn shì zǎo wǎn dōu huì yǐng xiǎng dào wǒ men gòng
这件事早晚都会影响到我们共
tóng lì yì de
同利益的。

bāng rén bāng dào dǐ jiù rén jiù gè huó
帮人帮到底，救人救个活。

jiě xī bāng zhù rén jiù yào bāng zhù dào dǐ jiù rén jiù yào
【解析】帮助人就要帮助到底，救人就要
jiù huó tā
救活他。

lì jù nǐ jiù bāng rén bāng dào dǐ jiù rén jiù gè huó
【例句】你就“帮人帮到底，救人救个活”，
bǎ jiē xià lái de shì qing bāng wǒ zuò wán ba
把接下来的事情帮我做完吧。

xīn dǐ wú sī tiān dì kuān
心底无私天地宽。

jiě xī bǐ yù cóng bù jīn jīn jì jiào de rén zì rán xīn
【解析】比喻从不斤斤计较的人，自然心
qíng shū chàng
情舒畅。

lì jù tā hěn shàn liáng lè yú zhù rén zǒng shì hěn kuài
【例句】他很善良，乐于助人，总是很快
lè zhēn shì xīn dǐ wú sī tiān dì kuān
乐，真是“心底无私天地宽”。

yǔ rén fāng biàn zì jǐ fāng biàn
予人方便，自己方便。

jiě xī gěi bié ren tí gōng fāng biàn jiù shì gěi zì jǐ fāng biàn
【解析】给别人提供方便就是给自己方便。

lì jù rén yào duō zuò hǎo shì yǔ rén fāng biàn zì jǐ
【例句】人要多做好事，“予人方便，自己
fāng biàn
方便”。

shì qíng shì xiàng
世情世象

shān gāo huáng dì yuǎn
山高皇帝远。

jiě xī zhǐ wáng fǎ guǎn xiá bú dào
【解析】指王法管辖不到。

lì jù yǒu xiē rén yǐ wéi shān gāo huáng dì yuǎn jiù kě
【例句】有些人以为“山高皇帝远”，就可

yǐ sì yì wàng wéi jié guǒ chī kuī de hái shi zì jǐ
以肆意妄为，结果吃亏的还是自己。

【典故】

běi sòng mò nián huáng dì shēng huó shē chǐ guān liáo
北宋末年，皇帝生活奢侈，官僚
jī gòu páng dà céng céng pán bō nóng mín
机构庞大，层层盘剥农民。
yǒu yì nián zhè jiāng tāi zhōu wēn
有一年，浙江台州、温
zhōu dà hàn jī huang bào fā xǔ
州大旱，饥荒爆发，许
duō rén è sǐ rén men rěn wú kě
多人饿死，人们忍无可
rěn jiē gān qǐ yì
忍，揭竿起义。
tā men zài qǐ yì dà
他们在起义大
qí shang xiě zhe shān
旗上写着：“山
gāo huáng dì yuǎn
高皇帝远，
mín shǎo xiàng gong
民少相公
duō yí rì sān biàn dǎ bù fǎn dài rú hé
多，一日三遍打，不反待如何？”

bàn jūn rú bàn hǔ
伴君如伴虎。

jiě xī péi bàn jūn wáng jiù xiàng péi bàn lǎo hǔ yí yàng wēi xiǎn
【解析】陪伴君王就像陪伴老虎一样危险，
bǐ yù yì zhǒng xiǎo xīn yì yì de xīn tài
比喻一种小心翼翼的心态。
lì jù tā tiān tiān dōu gēn lǐng dǎo zài yì qǐ zhàn zhàn jīng
【例句】他天天都跟领导在一起，战战兢

兢小心做事，实在是“伴君如伴虎”。

墙倒众人推，鼓破乱人捶。

【解析】一个人倒霉、落魄的时候，就没人理睬，甚至有人落井下石。

【例句】他现在落到了“墙倒众人推，鼓破乱人捶”的悲惨地步。

千里做官只为财。

【解析】千里迢迢来做官，只是为了钱财。

【例句】“千里做官只为财”的想法是错误的，为官一日就应该处处为百姓着想。

【典故】

晚清的讽刺小说《官场现形记》中讲到这样一件事：

一位姓王的乡绅和一位姓王的孝廉闲谈，王乡绅说他有一个亲戚，叫钱伯

芳，在江南做过一任典史，这是一个芝麻绿豆大的小官。虽然是小官，而且只做了一任，钱却弄了不少，街上的一片新房子都是他的。王乡绅说："做官不论大小，总要像他这样，这官才不算白做。"现在，钱伯芳又花钱走后门，想重新回到官场，继续做他的典史。王孝廉说："既然有路子，为什么不捐个正途出身，做个州县的长官？"王乡绅说："我也这样劝他，但是我那个亲戚有他自己的看法。他说做到州县官当然可以直接搜刮，但总不好意思亲自动手，还得依靠下面办事人。这些人层层克扣，到本官手里就有限了。倒不如做典史，直接要钱，还来得现实一些。你说他这话是不是真还有点道理。"王孝廉说："俗话说得好，'千里为官只为财'嘛。"

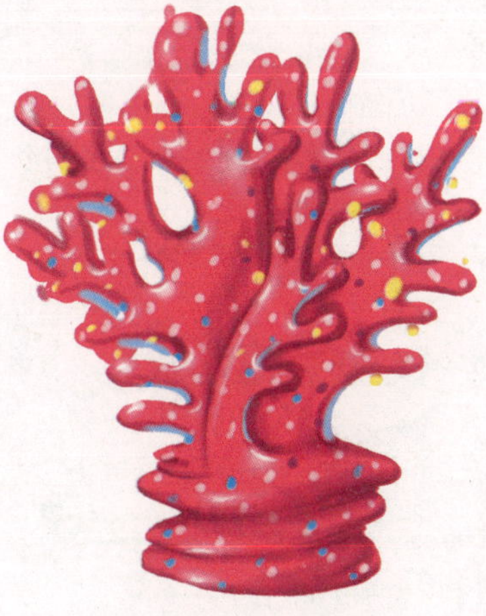

一人飞升，仙及鸡犬。

【解析】比喻一人得

shì tā shēn biān de rén yě suí zhī fā jì duō hán fěng cì yì wèi
势，他身边的人也随之发迹。多含讽刺意味。

lì jù tā gāngshàng rèn jiù bǎ yì xiē qīn péng hǎo yǒu tí
【例句】他刚上任，就把一些亲朋好友提

bá dào zhòng yào de gǎng wèi nán guài rén shuō yì rén fēi shēng xiān jí
拔到重要的岗位，难怪人说“一人飞升，仙及

jī quǎn
鸡犬”。

【典故】

huái nán wáng liú ān yǔ zhòng bù tóng xǐ hào rú jiā jīng shū lǐ
淮南王刘安与众不同，喜好儒家经书，礼

xián xià shì yě hào zhān guà wàng qì xiàng miàn děng fāng shù tā de
贤下士，也好占卦、望气、相面等方术。他的

wáng fǔ zhōngyǎng yǒu mén kè jǐ qiān rén yí
王府中养有门客几千人，一

rì yí wèi hè fà tóng yán de xiān
日，一位鹤发童颜的仙

rén lái dào fǔ zhōng huàn huà chéng shí
人来到府中，幻化成十

sì suì de shào nián bìng chuán shòu tā
四岁的少年，并传授他

sān shí liù juàn yù dān zhēn jīng
三十六卷《玉丹真经》。

bù jiǔ liú ān àn cǐ fǎ liàn chéng
不久，刘安按此法炼成

le xiān dān jiù zài zhè shí yǒu
了仙丹。就在这时，有

rén xiàng cháo tíng wū gào liú
人向朝廷诬告刘

ān móu fǎn hàn wǔ
安谋反，汉武

dì tīng hòu yào
帝听后要

jiāng qí zhǎn shǒu
将其斩首。

liú ān zài xiān rén diǎn huà xià fú yòng dān yào fēi tiān chéng xiān liú
刘安在仙人点化下服用丹药，飞天成仙。刘
ān méi chī wán de xiān yào cán liú zài pén li wáng fǔ zhōng de jī gǒu
安没吃完的仙药残留在盆里，王府中的鸡狗
chī le hòu quán dōu gēn zhe shēng shàng tiān kōng kě wèi yì rén fēi
吃了后，全都跟着升上天空，可谓：“一人飞
shēng xiān jí jī quǎn
升，仙及鸡犬”。

zhǐ xǔ zhōu guān fàng huǒ bù xǔ bǎi xìng diǎn dēng
只许州官放火，不许百姓点灯。

jiě xī bǐ yù tǒng zhì zhě zì jǐ kě yǐ wéi suǒ yù wéi
【解析】比喻统治者自己可以为所欲为，
què bù xǔ rén mín yǒu yì diǎnr zì yóu yě bǐ yù zhǐ néng zì jǐ hú
却不许人民有一点儿自由。也比喻只能自己胡
zuò fēi wéi zhuān zhì mán hèng què bù xǔ bié ren yǒu zhèng dàng de
作非为，专制蛮横，却不许别人有正当的
quán lì
权利。

lì jù zuò wéi lǐng dǎo bù néng zhǐ
【例句】作为领导，不能“只
xǔ zhōu guān fàng huǒ bù xǔ bǎi xìng diǎn dēng
许州官放火，不许百姓点灯”。

【典故】

sòng dài yǒu gè
宋代有个
jiào tián dēng de rén zuò
叫田登的人做
le zhōu guān wèi bì
了州官，为避
qí míng huì bù xǔ
其名讳，不许
shēn biān de rén tán huà
身边的人谈话

shí shuō dào rèn hé yí gè yǔ dēng tóng yīn de zì yóu yú tā míng
时说到任何一个与“登”同音的字。由于他名
zi de dēng yǔ dēng xié yīn quán zhōu lǎo bǎi xìng zhǐ hǎo chēng
字的“登”与“灯”谐音，全州老百姓只好称
dēng wéi huǒ diǎn dēng wéi diǎn huǒ
“灯”为“火”，“点灯”为“点火”。

měi nián de yuán xiāo jié àn zhào guàn lì yào rán fàng yān huā
每年的元宵节，按照惯例，要燃放烟花、
diǎn huā dēng guān fǔ fàng dēng mín jiān guān dēng shǎng dēng yǐ jīng chéng
点花灯。官府放灯，民间观灯、赏灯，已经成
wéi jiā yù hù xiǎo de jié sú guān fǔ yá men huì tí qián zhāng tiē gào
为家喻户晓的节俗。官府衙门会提前张贴告
shi ràng lǎo bǎi xìng dào shí hou guān shǎng
示，让老百姓到时候观赏。

zhè yì nián de yuán xiāo jié xiě gào shi
这一年的元宵节，写告示
de rén wèi bì zhōu guān zhī huì jiǎo jìn nǎo zhī
的人为避州官之讳，绞尽脑汁，
jué dìng àn zhào píng shí guàn lì jiāng dēng zì
决定按照平时惯例，将“灯”字
gǎi wéi huǒ zì yú shì quán chéng bǎi xìng
改为“火”字。于是，全城百姓
dú dào le zhè yàng yì zé liú fāng hòu shì de
读到了这样一则“流芳后世”的
bù gào yuán xiāo jié li běn zhōu yī lì fàng huǒ sān rì
布告：元宵节里本州依例放火三日。

bǎi xìng zuì hòu míng bai le shì qing de yuán wěi tí xiào jiē fēi
百姓最后明白了事情的原委，啼笑皆非，
miàn duì bù gào fā chū gǎn kǎi zhǐ xǔ zhōu guān fàng huǒ bù xǔ bǎi
面对布告发出感慨：“只许州官放火，不许百
xìng diǎn dēng
姓点灯。”

wàn shì hé wéi guì
万事和为贵。

jiě xī wú lùn shén me shì qing dōu yǐ hé mù xiāng chǔ zuì zhòng
【**解析**】无论什么事情都以和睦相处最重

yào
要。

lì jù wàn shì hé wéi guì wǒ men yào xiǎng bàn fǎ jiě
【例句】“万事和为贵”，我们要想办法解
jué wèn tí qiān wàn bú yào dòng nù
决问题，千万不要动怒。

guān xiàng guān mín xiàng mín hé shang xiàng de shì chū jiā rén
官向官，民向民，和尚向的是出家人。

jiě xī bǐ yù rén men hěn duō shí hou dōu zhǐ zhàn zài zì jǐ
【解析】比喻人们很多时候都只站在自己
de lì chǎng shang wéi hù xiǎo jí tuán de lì yì
的立场上，维护小集团的利益。

lì jù tā men chǎo jià le xiàn zài shì gè shuō gè de méi
【例句】他们吵架了，现在是各说各的，没
yǒu rén yuàn yì ràng bù gè zì qǐng lái de rén yě shì guān xiàng guān
有人愿意让步，各自请来的人也是“官向官，
mín xiàng mín hé shang xiàng de shì chū jiā rén
民向民，和尚向的是出家人”。

shù gāo qiān zhàng yè luò guī gēn
树高千丈，叶落归根。

jiě xī shù zhǎng de zài gāo luò yè hái shi yào huà wéi ní
【解析】树长得再高，落叶还是要化为泥
tǔ huí guī shù gēn bǐ yù lí kāi gù tǔ de shí
土回归树根。比喻离开故土的时
jiān zài cháng zuì hòu hái shi yào huí guī gù tǔ
间再长，最后还是要回归故土。

lì jù tā hěn xiǎo de shí hou jiù
【例句】他很小的时候就
lí kāi jiā xiāng qù chuàng yè le xiàn zài tā chéng
离开家乡去创业了，现在他成
gōng le nián jì yě dà le fēi cháng xiǎng niàn
功了，年纪也大了，非常想念
jiā xiāng shù gāo qiān zhàng yè luò guī gēn a
家乡，“树高千丈，叶落归根”啊。

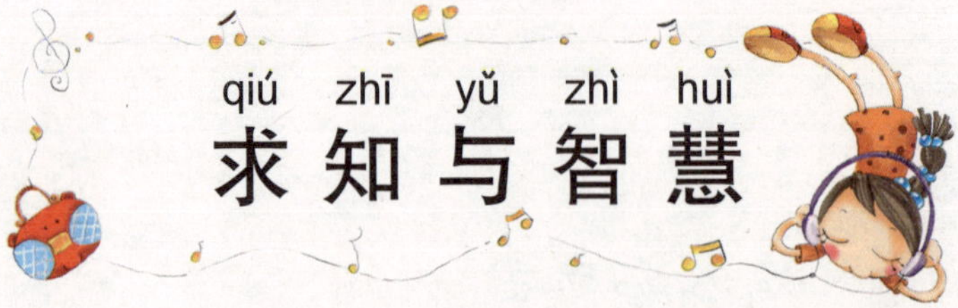

qiú zhī yǔ zhì huì
求知与智慧

zhī shi xué xí
知识学习

dú yì shū zēng yí zhì
读一书，增一智。

jiě xī měi dú yì běn shū nǐ dōu kě yǐ cóngzhōng huò dé
【解析】每读一本书，你都可以从中获得
yì xiē zhī shi bǐ yù duō dú shū kě yǐ zēngzhǎng jiàn shi
一些知识，比喻多读书可以增长见识。

lì jù dú yì shū zēng yí zhì duō dú xiē shū duì
【例句】“读一书，增一智”，多读些书对
rén zhǐ huì yǒu hǎo chù
人只会有好处。

bù chī fàn zé jī bù dú shū zé yú
不吃饭则饥，不读书则愚。

jiě xī rén rú guǒ bù chī fàn jiù huì jī è rú guǒ bù
【解析】人如果不吃饭就会饥饿，如果不
dú shū jiù huì yú mèi
读书就会愚昧。

lì jù bù chī
【例句】“不吃
fàn zé jī bù dú shū zé
饭则饥，不读书则
yú suǒ yǐ tā měi tiān dōu
愚”，所以他每天都
qù tú shū guǎn kàn shū zēngzhǎng
去图书馆看书，增长

zì jǐ de jiàn shi
自己的见识。

zhǐ yào gōng fu shēn tiě chǔ mó chéng zhēn
只要工夫深，铁杵磨成针。

jiě xī bǐ yù zhǐ yào yǒu jué xīn kěn xià gōng fu zài nán
【解析】比喻只要有决心，肯下工夫，再难
de shì yě néng chéng gōng
的事也能成功。

lì jù zhǐ yào gōng fu shēn tiě chǔ mó chéng zhēn jīng
【例句】“只要工夫深，铁杵磨成针”，经
guò duō nián de nǔ lì zuān yán wǒ guó zhōng yú shí xiàn le zài rén háng
过多年的努力钻研，我国终于实现了载人航
tiān de mèng xiǎng
天的梦想。

【典故】

xiāng chuán lǐ bái xiǎo shí hou dú shū cháng cháng xīn bú zài yān shí
相传，李白小时候读书常常心不在焉，十
fēn tān wán yí cì tā táo xué
分贪玩。一次，他逃学
wài chū yóu
外出游
wán jīng
玩，经

guò yì tiáo xiǎo xī kàn dào yí wèi lǎo pó po mó tiě bàng biàn shàng qián
过一条小溪，看到一位老婆婆磨铁棒，便上前
xún wèn lǎo nǎi nai nín zhè shì zuò shén me lǎo pó po huí
询问："老奶奶，您这是做什么？"老婆婆回
dá mó gēn xiù huā zhēn lǐ bái tīng hòu gǎn kǎi wàn qiān rén zhǐ
答："磨根绣花针。"李白听后，感慨万千：人只
yào yǒu yì lì shén me shì dōu néng zuò chéng cóng cǐ lǐ bái xià jué
要有毅力，什么事都能做成。从此，李白下决
xīn fā fèn dú shū zhōng yú xué yǒu suǒ chéng
心发奋读书，终于学有所成。

shū shān yǒu lù qín wéi jìng xué hǎi wú yá kǔ zuò zhōu
书山有路勤为径，学海无涯苦作舟。

jiě xī zài dú shū xué xí de dào lù shang méi yǒu jié jìng
【解析】在读书学习的道路上，没有捷径
kě zǒu yě méi yǒu shùn fēng chuán kě shǐ xiǎng yào zài shū shān xué hǎi zhōng
可走，也没有顺风船可驶，想要在书山学海中
jí qǔ gèng duō de zhī shi zhǐ yǒu kè kǔ qín fèn
汲取更多的知识，只有刻苦、勤奋。

lì jù xué xí shì méi yǒu jié jìng de yào yí bù yí gè
【例句】学习是没有捷径的，要一步一个
jiǎo yìn shū shān yǒu lù qín wéi jìng xué hǎi wú yá kǔ zuò zhōu a
脚印，"书山有路勤为径，学海无涯苦作舟"啊。

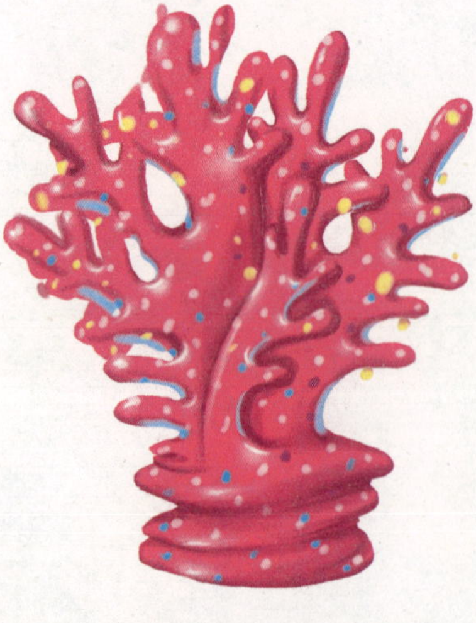

yì fēn gēng yún yì fēn shōu huò
一分耕耘，一分收获。

jiě xī fù chū yì fēn láo
【解析】付出一分劳
dòng cái néng dé dào yì fēn shōu yì
动才能得到一分收益。

lì jù yì fēn gēng yún
【例句】"一分耕耘，
yì fēn shōu huò zhǐ yǒu nǔ lì xué
一分收获"，只有努力学
xí le cái huì yǒu hǎo de chéng jì
习了才会有好的成绩。

shū dú bǎi biàn qí yì zì xiàn
书读百遍，其义自见。

jiě xī dú shū shàng bǎi biàn shū zhōng de hán yì zì rán néng lǐng huì
【解析】读书上百遍，书中的含义自然能领会。

lì jù xué xí gǔ wén de zuì hǎo fāng fǎ jiù shì dú shū dú bǎi biàn qí yì zì xiàn
【例句】学习古文的最好方法就是读，“书读百遍，其义自见”。

zhī shi zài yú jī lěi tiān cái zài yú qín fèn
知识在于积累，天才在于勤奋。

jiě xī huò dé zhī shi yào kào píng shí de jī lěi zhǐ yǒu qín fèn nǔ lì cái néng chéng wéi tiān cái
【解析】获得知识要靠平时的积累，只有勤奋努力才能成为天才。

lì jù zhī shi zài yú jī lěi tiān cái zài yú qín fèn tiān xià méi yǒu zuò xiǎng qí chéng de hǎo shì
【例句】“知识在于积累，天才在于勤奋”，天下没有坐享其成的好事。

shǒu yuè dòng yuè qiǎo nǎo yuè yòng yuè líng
手越动越巧，脑越用越灵。

jiě xī duō dòng shǒu shǒu huì yuè lái yuè líng qiǎo duō dòng nǎo nǎo jīn huì yuè lái yuè cōng míng
【解析】多动手，手会越来越灵巧；多动脑，脑筋会越来越聪明。

lì jù bú yào shě bu de dòng nǎo jīn rén de shǒu yuè dòng yuè qiǎo nǎo yuè yòng yuè líng
【例句】不要舍不得动脑筋，人的“手越动越巧，脑越用越灵”。

hǎo jì xing bù rú làn bǐ tóu
好记性不如烂笔头。

jiě xī zài hǎo de jì yì lì yě bù rú yòng bǐ jì zài zhǐ shang
【解析】再好的记忆力也不如用笔记在纸上。

lì jù sú huà shuō hǎo jì xing bù rú làn bǐ tóu wǒ men yīng gāi suí shēn dài zhe bǐ hé zhǐ yǎng chéng jì lù de liáng hǎo xí guàn cái bú huì wàng shì
【例句】俗话说“好记性不如烂笔头”，我们应该随身带着笔和纸，养成记录的良好习惯，才不会忘事。

yí cùn guāng yīn yí cùn jīn cùn jīn nán mǎi cùn guāng yīn
一寸光阴一寸金，寸金难买寸光阴。

jiě xī yí cùn guāng yīn hé yí cùn cháng de huáng jīn yí yàng áng guì ér yí cùn cháng de huáng jīn què nán yǐ mǎi dào yí cùn guāng yīn bǐ yù shí jiān shí fēn bǎo guì
【解析】一寸光阴和一寸长的黄金一样昂贵，而一寸长的黄金却难以买到一寸光阴。比喻时间十分宝贵。

lì jù yí cùn guāng yīn yí cùn jīn cùn jīn nán mǎi cùn guāng yīn wǒ men yīng zhēn xī shí guāng bù kě xū dù nián huá
【例句】“一寸光阴一寸金，寸金难买寸光阴”，我们应珍惜时光，不可虚度年华。

xué xí rú nì shuǐ xíng zhōu bú jìn zé tuì
学习如逆水行舟，不进则退。

jiě xī xué xí yào bú duàn jìn qǔ bú duàn nǔ lì jiù xiàng nì shuǐ xíng shǐ de xiǎo chuán bù nǔ lì xiàng qián jiù zhǐ néng xiàng hòu tuì
【解析】学习要不断进取，不断努力，就像逆水行驶的小船，不努力向前，就只能向后退。

lì jù xué xí rú nì shuǐ xíng zhōu
【例句】“学习如逆水行舟，

bú jìn zé tuì suǒ yǐ wǒ men yào bú duàn de
不进则退”，所以，我们要不断地
chōng shí zì jǐ cái xíng a
充实自己才行啊。

xué dào lǎo xué bu liǎo
学到老，学不了。

jiě xī bǐ yù zhī shi hěn fēng fù jiù suàn xué dào lǎo yě
【解析】比喻知识很丰富，就算学到老也
shì xué bu wán de
是学不完的。

lì jù zhī shi de hǎi yáng shí zài shì tài guǎng kuò le zhèng
【例句】知识的海洋实在是太广阔了，正
suǒ wèi xué dào lǎo xué bu liǎo
所谓“学到老，学不了”。

xué ér bú yàn huì rén bú juàn
学而不厌，诲人不倦。

jiě xī qín fèn xué xí bú yàn fán jiào huì bié ren bú yàn juàn
【解析】勤奋学习不厌烦，教诲别人不厌倦。

lì jù wǒ men xué xí shí huò bāng
【例句】我们学习时或帮
zhù bié ren shí yào zuò dào xué ér bú yàn
助别人时，要做到“学而不厌，
huì rén bú juàn
诲人不倦”。

shào zhuàng bù nǔ lì lǎo dà tú shāng bēi
少壮不努力，老大徒伤悲。

jiě xī shào nián shí rú guǒ bù jí
【解析】少年时如果不及
shí nǔ lì dào lǎo lái zhǐ néng shì huǐ hèn yì
时努力，到老来只能是悔恨一
shēng
生。

lì jù shào nián rén yào zhuā jǐn shí jiān xué xí cái xíng bú
【例句】少年人要抓紧时间学习才行，不
yào shàozhuàng bù nǔ lì lǎo dà tú shāng bēi
要“少壮不努力，老大徒伤悲”。

shí jiàn guī lǜ
实践规律

shí jiàn chū zhēn zhī
实践出真知。

jiě xī zhǐ yǒu zài xíng dòngzhōng cái néng lǐng wù xué xí dào
【解析】只有在行动中才能领悟、学习到
zhèng què de zhī shi
正确的知识。

lì jù kē xué jiā men de yán jiū chéng guǒ dōu shì shí jiàn
【例句】科学家们的研究成果，都是“实践
chū zhēn zhī de
出真知”的。

bú dào yá men dǎ guān si nǎ zhī yá men mén nán jìn
不到衙门打官司，哪知衙门门难进。

jiě xī bǐ yù zì jǐ bù qīn shǒu qù zuò yí jiàn shì qing
【解析】比喻自己不亲手去做一件事情，
jiù bù zhī dào zuò zhè jiàn shì shí de nán chù
就不知道做这件事时的难处。

lì jù rén wǎngwǎng bù dāng jiā bù zhī dāng jiā de kǔ bú
【例句】人往往不当家不知当家的苦，“不
dào yá men dǎ guān si nǎ zhī yá men mén nán jìn
到衙门打官司，哪知衙门门难进”。

dú wàn juàn shū xíng wàn lǐ lù
读万卷书，行万里路。

jiě xī xíng wàn lǐ lù gēn dú wàn juàn shū shì hù bǔ de
【解析】行万里路跟读万卷书是互补的，

读书是静态的，行路是动态的，书中知识有限，只有行动、实践中眼观、耳听才能补其不足！

【例句】“读万卷书，行万里路”，是我最大的追求。

【典故】

著名史学家司马迁10岁起诵读古文，研读《古文尚书》、《春秋》；20岁时，随博士褚太等六人开始了游历天下的生活。他的足迹到过会稽，访问夏禹遗迹；到过姑苏，眺望范蠡泛舟的太湖；

dào guo huái yīn fǎng qiú hán xìn de gù shi dào guo fēng pèi fǎng wèn
到过淮阴，访求韩信的故事；到过丰沛，访问
liú bāng xiāo hé de gù xiāng dào guo dà liáng fǎng wèn yí mén kǎo chá
刘邦、萧何的故乡；到过大梁，访问夷门，考察
qín jūn yǐn hé shuǐ guàn dà liáng de qíng xing dào guo chǔ fǎng wèn chūn shēn
秦军引河水灌大梁的情形；到过楚，访问春申
jūn de gōng diàn yí zhǐ dào guo xuē dì kǎo chá mèngcháng jūn de fēng yì
君的宫殿遗址；到过薛地，考察孟尝君的封邑；
dào guo zōu lǔ bài yǎng kǒng mèng jiā xiāng
到过邹鲁，拜仰孔孟家乡。

dú wàn juàn shū xíng wàn lǐ lù wèi sī mǎ qiān yǐ hòu zhù shū
读万卷书，行万里路，为司马迁以后著书
lì shuō diàn dìng le jiān shí de jī chǔ
立说奠定了坚实的基础。

zhàn zhe shuō huà bù yāo téng
站着说话不腰疼。

jiě xī xíng róng bú zhàn zài bié ren de lì chǎng shang kǎo lǜ wèn
【解析】形容不站在别人的立场上考虑问
tí shì tǐ huì bú dào bié ren de nán chù de
题是体会不到别人的难处的。

lì jù wǒ shēng qì de shuō zhè ge wèn tí méi nǐ xiǎng de
【例句】我生气地说："这个问题没你想得
nà me jiǎn dān bié zhàn zhe shuō huà bù yāo téng le
那么简单，别'站着说话不腰疼'了。"

xià hé cái zhī shuǐ shēn qiǎn
下河才知水深浅。

jiě xī zhǐ yǒu xià le hé cái zhī dào
【解析】只有下了河才知道
hé shuǐ de shēn qiǎn bǐ yù yào qīn shēn shí jiàn
河水的深浅。比喻要亲身实践，
cái zhī dào shì qing de nán yì
才知道事情的难易。

lì jù rén yào qīng chu de liǎo jiě yī
【例句】人要清楚地了解一

jiàn shì zhǐ yǒu xià hé cái zhī shuǐ shēn qiǎn
件事，只有“下河才知水深浅”。

bǎi wén bù rú yí jiàn
百闻不如一见。

jiě xī
【解析】

tīng bǎi cì bù rú jiàn yí cì biǎo shì yǎn jiàn bǐ ěr tīng kào de zhù
听百次不如见一次，表示眼见比耳听靠得住。

lì jù
【例句】

bǎi wén bù rú yí jiàn tā guǒ rán zhǎng de hěn piào liang
“百闻不如一见”，她果然长得很漂亮。

【典故】

xī hàn shí qiāng rén rù qīn hàn xuān dì zhào qún chén xún wèn
西汉时，羌人入侵。汉宣帝召群臣询问：

shéi yuàn lǐng bīng qián qù jù dí suì de lǎo jiàng zhào chōng guó zì
“谁愿领兵前去拒敌？”76岁的老将赵充国自

gào fèn yǒng qǐng qiú qián wǎng tā zài biān jiè gēn qiāng rén dǎ guo jǐ
告奋勇，请求前往。他在边界跟羌人打过几

shí nián de jiāo dào xuān dì wèn yào pài duō shao bīng mǎ zhào
十年的交道。宣帝问：“要派多少兵马？”赵

chōng guó huí dá wǒ xiǎng qīn zì dào biān jìng kàn kan bù néng zhǐ tīng
充国回答：“我想亲自到边境看看，不能只听

bié ren bào gào
别人报告。”

zhào chōng guó dài lǐng yì zhī jūn duì dù
赵充国带领一支军队渡
guò huáng hé gēn qiāng rén de yì xiǎo gǔ jūn
过黄河，跟羌人的一小股军
duì pīn shā zhuō le hǎo duō fú lǔ bīng
队拼杀，捉了好多俘虏。兵
shì men zhǔn bèi chéng shèng zhuī jī zhào chōng guó
士们准备乘胜追击，赵充国
zǔ lán shuō wǒ men cháng tú dào cǐ bù
阻拦说：“我们长途到此，不
kě yuǎn zhuī rú guǒ zāo dào dí bīng fú jī huì chī dà kuī zhào
可远追，如果遭到敌兵伏击，会吃大亏！”赵
chōng guó tōng guò guān chá dì xíng liǎo jiě le dí jūn de bīng lì bù shǔ
充国通过观察地形，了解了敌军的兵力部署，
yòu cóng fú lǔ kǒu zhōng dé zhī dí rén nèi bù de qíng kuàng tā zhè cái
又从俘虏口中得知敌人内部的情况。他这才
zhì dìng chū tún bīng bǎ shǒu zhěng zhì biān jìng fēn huà wǎ jiě qiāng rén de
制定出屯兵把守、整治边境、分化瓦解羌人的
cè lüè shàng zòu xuān dì bù jiǔ cháo tíng pài bīng píng dìng le qiāng rén
策略，上奏宣帝。不久，朝廷派兵平定了羌人
de qīn rǎo ān dìng le xī běi biān jiāng
的侵扰，安定了西北边疆。

fēng mǎ niú bù xiāng jí
风马牛不相及。

jiě xī bǐ yù liǎng zhě quán bù xiāng gān
【解析】比喻两者全不相干。

lì jù nǐ shuō de shì hé wǒ shuō de shì fēng mǎ niú bù
【例句】你说的事和我说的事“风马牛不
xiāng jí bú yào hùn xiáo zài yì qǐ
相及”，不要混淆在一起。

【典故】

chūn qiū zhàn guó shí yǒu yí cì
春秋战国时，有一次，

qí wáng shòu rén tiǎo bō dài bīng qiān lǐ tiáo tiáo qù
齐王受人挑拨，带兵千里迢迢去
gōng dǎ chǔ guó qí guó wèi yú xiàn jīn
攻打楚国。齐国位于现今
shān dōng yí dài chǔ guó què zài hú
山东一带，楚国却在湖
běi hú nán yí
北、湖南一
dài liǎng guó
带，两国
bìng bù jiāo jiè
并不交界。
chǔ wáng bú yuàn
楚王不愿
gēn qí wáng jiāo
跟齐王交
zhàn jiù pài rén sòng
战，就派人送
xìn shuō nǐ de guó tǔ
信说：“你的国土
yuǎn zài běi hǎi wǒ de guó tǔ zé kào jìn nán hǎi bǐ cǐ háo wú lì
远在北海，我的国土则靠近南海，彼此毫无利
hài chōng tū zhēn shì fēng mǎ niú bù xiāng jí wǒ men yòu hé bì dǎ
害冲突，真是‘风马牛不相及’，我们又何必打
zhàng ne qí wáng kàn le rèn wéi hěn yǒu dào lǐ biàn shōu bīng le
仗呢？”齐王看了，认为很有道理，便收兵了。

shuǐ zhǎng zé chuán yì gāo
水涨则船亦高。

jiě xī chuán huì suí zhe shuǐ liàng de zēng zhǎng ér shēng gāo
【解析】船会随着水量的增涨而升高。

lì jù xiàn zài shēng huó shuǐ píng zhēn shì yǒu le hěn dà tí gāo
【例句】现在生活水平真是有了很大提高，
cǎi diàn bīng xiāng dōu pǔ jí dào jiā jiā hù hù le zhēn shì shuǐ zhǎng
彩电、冰箱都普及到家家户户了，真是“水涨
zé chuán yì gāo
则船亦高”。

【典故】

gǔ shí hou yǒu gè jiào
古时候，有个叫
gěng sōng de rén jiā jìng
耿崧的人，家境
pín hán quán kào
贫寒，全靠
qī zi zhī bù wéi
妻子织布维
chí shēng jì qī
持生计，妻
zi zài jiā zhōng biàn
子在家中便
yǒu xiē mán hèng
有些蛮横。
hòu lái gěng sōng
后来，耿崧
zuò le guān qī zi hái shi zé mà tā tā wèn hé gù qī zi dá
做了官，妻子还是责骂他，他问何故，妻子答
dào shuǐ zhǎng zé chuán yì gāo bú yào shuō nǐ zuò le zhè ge xiǎo guān
道：“水涨则船亦高，不要说你做了这个小官，
jiù shì dāng le zǎi xiàng yòu zěn me yàng nán dào jiù bǐ wǒ dà le ma
就是当了宰相又怎么样，难道就比我大了吗？”

qún zhòng de yǎn jing shì xuě liàng de
群众的眼睛是雪亮的。

jiě xī bǐ yù rèn hé shì qing wú lùn hǎo huài dōu bù kě
【解析】比喻任何事情，无论好坏，都不可
néng qī piàn qún zhòng de
能欺骗群众的。

lì jù shì shí jiù shì shì shí shéi dōu yǎn gài bù liǎo
【例句】事实就是事实，谁都掩盖不了，
qún zhòng de yǎn jing shì xuě liàng de
“群众的眼睛是雪亮的”。

shū dào yòng shí fāng hèn shǎo shì fēi jīng guò bù zhī nán
书到用时方恨少，事非经过不知难。

jiě xī zhī shi xū yào dào yòng de shí hou cái zhī dào zì jǐ dú de shū tài shǎo le shì qing bù jīng lì guo biàn bù zhī xiǎo qí zhōng de jiān xīn
【解析】知识需要到用的时候才知道自己读的书太少了，事情不经历过便不知晓其中的艰辛！

lì jù dāng tā zǒu tóu wú lù de shí hou cái míng bai shū dào yòng shí fāng hèn shǎo shì fēi jīng guò bù zhī nán
【例句】当他走投无路的时候，才明白“书到用时方恨少，事非经过不知难”。

zhēn de jiǎ bu liǎo jiǎ de zhēn bu liǎo
真的假不了，假的真不了。

jiě xī xíng róng bú lùn zěn me wěi zhuāng shì wù de běn zhì shì bú huì biàn de
【解析】形容不论怎么伪装，事物的本质是不会变的。

lì jù zhēn de jiǎ bu liǎo jiǎ de zhēn bu liǎo tā de huà shì zhēn shì jiǎ wǒ men huì gǎo qīng chu de
【例句】“真的假不了，假的真不了”，他的话是真是假，我们会搞清楚的。

zhòng guā dé guā zhòng dòu dé dòu
种瓜得瓜，种豆得豆。

jiě xī bǐ yù zuò le shén me yàng de shì qing jiù huì dé dào shén me yàng de jié guǒ
【解析】比喻做了什么样的事情，就会得到什么样的结果。

lì jù zhòng guā dé guā zhòng dòu dé dòu nǐ xiàn zài de chéng jì jiù shì nǐ yǐ qián
【例句】“种瓜得瓜，种豆得豆”，你现在的成绩就是你以前

fù chū de zuì hǎo zhèngmíng
付出的最好证明。

shì jīn zi fàng zài nǎ li dōu fā guāng
是金子放在哪里都发光。

jiě xī bǐ yù yǒu néng lì de rén
【解析】比喻有能力的人，
dào nǎ li dōu néng tǐ xiàn chū zì jǐ de jià zhí
到哪里都能体现出自己的价值。

lì jù wǒ men bù guǎn zài shén me yàng
【例句】我们不管在什么样
de qíngkuàng xià dōu bú bì yuàn tiān yóu rén shì
的情况下都不必怨天尤人，“是
jīn zi fàng zài nǎ li dōu fā guāng
金子放在哪里都发光”。

chángjiāng hòu làng tuī qián làng yí dài gèng bǐ yí dài qiáng
长江后浪推前浪，一代更比一代强。

jiě xī xíng róng hòu rén huò wǎn bèi bǐ qián rén huò zhǎng bèi néng
【解析】形容后人或晚辈比前人或长辈能
lì gèng qiáng
力更强。

lì jù chángjiāng hòu làng tuī qián làng yí dài gèng bǐ yí dài
【例句】“长江后浪推前浪，一代更比一代
qiáng xiāng xìn wǒ men zhè yí dài huì bǎ zǔ guó jiàn shè de gèng jiā fán
强”，相信我们这一代会把祖国建设得更加繁
róng chāngshèng
荣昌盛。

fàn děi yì kǒu yì kǒu de chī
饭得一口一口地吃，
lù děi yí bù yí bù de zǒu
路得一步一步地走。

jiě xī bǐ yù zuò shì qing yào tā tā shí shí yí bù yí
【解析】比喻做事情要踏踏实实、一步一

gè jiǎo yìn de zǒu
个脚印地走。

lì jù fàn děi yì kǒu yì kǒu de chī lù děi yí bù yí
【例句】“饭得一口一口地吃，路得一步一
bù de zǒu jīng yàn yě yào yì diǎn yì dī de jī lěi
步地走”，经验也要一点一滴地积累。

zūn shī zhòng jiào
尊师重教

yán shī chū gāo tú
严师出高徒。

jiě xī yì si shì shuō duì xué sheng yāo qiú yán gé de lǎo shī
【解析】意思是说对学生要求严格的老师，
tā jiāo chū lái de xué sheng dōu hěn yōu xiù
他教出来的学生都很优秀。

lì jù zhāng lǎo shī de xué sheng dōu hěn yǒu chū xi zhēn shì
【例句】张老师的学生都很有出息，真是
yán shī chū gāo tú a
“严师出高徒”啊。

yí rì wéi shī zhōng shēn wéi fù
一日为师，终身为父。

jiě xī yuán yì shì zhǐ lǎo shī
【解析】原意是指老师
céng jīng jiāo guo nǐ nǐ yě jiù yīng zhōng shēng
曾经教过你，你也就应终生
rú tóng duì dài fù qīn nà yàng duì dài lǎo
如同对待父亲那样对待老
shī bǐ yù duì dài jiāo nǐ zhī shi jiāo
师。比喻对待教你知识、教
nǐ zuò rén de rén nǐ yí bèi zi bù néng
你做人的人，你一辈子不能
wàng jì tā men de ēn qíng
忘记他们的恩情。

lì jù wǒ men yào zūn jìng shī zhǎng yí rì wéi shī zhōng
【例句】我们要尊敬师长，“一日为师，终
shēn wéi fù
身为父”。

xiān dāng xué sheng hòu dāng xiān sheng
先当学生，后当先生。

jiě xī xiān nǔ lì xué xí chōng shí zì jǐ cái néng bǎ zì
【解析】先努力学习充实自己，才能把自
jǐ xué dào de dōng xi jiāo gěi bié ren
己学到的东西教给别人。

lì jù zì gǔ yǐ lái rén men dōu shì xiān dāng xué sheng
【例句】自古以来，人们都是“先当学生，
hòu dāng xiān sheng yí dài yí dài chuán chéng xià lái zǔ guó de wén huà
后当先生”，一代一代传承下来，祖国的文化
cái dé yǐ yán xù hé fā yáng guāng dà
才得以延续和发扬光大。

shī fu lǐng jìn mén xiū xíng zài gè rén
师父领进门，修行在个人。

jiě xī shī fu zhǐ néng jiāo nǐ fāng fǎ zěn yàng yùn yòng hái
【解析】师父只能教你方法，怎样运用还
yào kào zì jǐ de nǔ lì
要靠自己的努力。

lì jù shī fu lǐng jìn mén xiū xíng zài gè rén dé
【例句】“师父领进门，修行在个人”，得
dào de zhī shi shì duō shì shǎo zuì zhōng qǔ jué yú zì jǐ de fù chū
到的知识是多是少最终取决于自己的付出。

shī tú rú fù zǐ
师徒如父子。

jiě xī shī fu hé tú dì de guān xì hǎo de gēn fù zǐ yí
【解析】师父和徒弟的关系好得跟父子一
yàng
样。

【例句】唐僧和孙悟空两人“师徒如父子”。

青出于蓝而胜于蓝。

【解析】青从蓝草中提炼出来，但颜色比蓝草更深。比喻学生超过老师或后人胜过前人。

【例句】中国的体操小将们“青出于蓝而胜于蓝”，在奥运会上取得了优异的成绩。

【典故】

荀子曾教导弟子们说：“学习是不应当停止和废弃的。青色是从蓝草里提取出来的，可是它比蓝草还要深；冰是水变成的，可是它比水还要凉。”

荀子用青与蓝、冰与水的关系做比喻，教导学生只要通过坚持不懈的刻苦学习，

jiù néng gòu yǒu suǒ tí gāo xué sheng yí dìng yào yǒu zhì qì chāo guò zì
就能够有所提高；学生一定要有志气超过自
jǐ de lǎo shī yí dài yào bǐ yí dài qiáng
己的老师，一代要比一代强。

zhì huì fāng fǎ
智慧方法

niǎo kào chì bǎng rén kào zhì huì
鸟靠翅膀，人靠智慧。

jiě xī yǒu le chì bǎng niǎo cái néng fēi yǒu le zhì huì
【解析】有了翅膀，鸟才能飞；有了智慧，
rén cái néng shēng cún
人才能生存。

lì jù niǎo kào chì bǎng rén kào zhì huì wǒ men chǔ
【例句】“鸟靠翅膀，人靠智慧”，我们处
lǐ shì qing yào jiǎng jiu fāng fǎ
理事情要讲究方法。

yì bǎ yào shi kāi yì bǎ suǒ
一把钥匙开一把锁。

jiě xī zhǐ yòng bù tóng de fāng fǎ
【解析】指用不同的方法
jiě jué bù tóng de wèn tí
解决不同的问题。

lì jù chú le bà ba
【例句】除了爸爸，
mèi mei shéi de huà dōu bù tīng zhēn
妹妹谁的话都不听，真
shì yì bǎ yào shi kāi yì bǎ suǒ
是“一把钥匙开一把锁”
a
啊。

请将不如激将。

【解析】指用话语刺激别人去干事要比正面请他去干事来得管用。

【例句】“请将不如激将”，我们不如用别的方法请他出山吧。

【典故】

三国时，马超率兵攻打葭萌关，赵云不在，诸葛亮想派张飞迎战。

此时，张飞听说马超前来攻关，主动请求出战。诸葛亮知道他性情烈，为振奋其斗志，佯装没听见，对刘备说：“马超智勇双全，无人可敌，只有唤云长来，才能对敌。”

张飞道：“军师小瞧我！我曾单独抗拒曹操百万大军，难道还怕马超？”

诸葛亮说：“你在当阳拒水断桥，是因曹操不知道虚实，否则你怎能获胜？马超英勇无

bǐ tiān xià rén jiē zhī jiù shì yún cháng lái yě wèi bì huò shèng
比，天下人皆知，就是云长来也未必获胜。”

zhāng fēi dào wǒ jīn rì chū zhàn rú bú huò shèng gān yuàn shòu fá
张飞道：“我今日出战，如不获胜，甘愿受罚！”

zhū gě liàng kàn jī jiàng fǎ yǐ qǐ zuò yòng biàn shuō jì rán nǐ kěn lì jūn lìng zhuàng kě wéi xiān fēng
诸葛亮看激将法已起作用，便说：“既然你肯立军令状，可为先锋！”

zhāng fēi yǔ mǎ chāo dà zhàn liǎng bǎi duō gè huí hé wèi fēn shèng fù què dǎ diào le mǎ chāo de ruì qì
张飞与马超大战两百多个回合，未分胜负，却打掉了马超的锐气。

bú jiàn tù zi bù sā yīng
不见兔子不撒鹰。

jiě xī bǐ yù zuò shì shí yào zhuā zhù shí jī rèn zhǔn mù biāo
【解析】比喻做事时要抓住时机，认准目标。

lì jù dōu dào zhè ge shí hou le tā hái néng zhè me chén zhuó de jìng guān qí biàn zhēn shì bú jiàn tù zi bù sā yīng
【例句】都到这个时候了，他还能这么沉着地静观其变，真是“不见兔子不撒鹰”。

fàng cháng xiàn diào dà yú
放长线钓大鱼。

jiě xī bǐ yù zuò shì cóng cháng yuǎn dǎ suàn suī rán bù néng lì kè shōu xiào dàn jiāng lái néng dé dào gèng dà de hǎo chù
【解析】比喻做事从长远打算，虽然不能立刻收效，但将来能得到更大的好处。

lì jù zhè jiàn shì qing shì jí bu
【例句】这件事情是急不
de de wǒ men yào fàng cháng xiàn diào dà yú
得的，我们要“放长线钓大鱼”。

rén wú yuǎn lǜ bì yǒu jìn yōu
人无远虑，必有近忧。

jiě xī rén méi yǒu cháng yuǎn de kǎo
【解析】人没有长远的考
lǜ yí dìng huì chū xiàn yǎn qián de yōu huàn biǎo shì kàn shì zuò shì yīng
虑，一定会出现眼前的忧患。表示看事做事应
gāi yǒu yuǎn dà de yǎn guāng zhōu mì de kǎo lǜ
该有远大的眼光、周密的考虑。

lì jù lǐ dà mā de hái zi gōng zuò liǎng nián le hái méi
【例句】李大妈的孩子工作两年了，还没
yǒu yì diǎnr jī xù zhèng de qián quán huā guāng le lǐ dà mā hěn yōu
有一点儿积蓄，挣的钱全花光了。李大妈很忧
lǜ de duì tā shuō rén wú yuǎn lǜ bì yǒu jìn yōu nǐ yào wèi
虑地对他说：“人无远虑，必有近忧。你要为
zì jǐ de jiāng lái duō kǎo lǜ kǎo lǜ a
自己的将来多考虑考虑啊。”

zhī jǐ zhī bǐ bǎi zhàn bú dài
知己知彼，百战不殆。

jiě xī qīng chu dí rén de qíng kuàng hé liǎo jiě zì jǐ de qíng
【解析】清楚敌人的情况和了解自己的情
kuàng zhàn dòu jiù bú huì shī bài
况，战斗就不会失败。

lì jù dǎ zhàng de shí hou yào
【例句】打仗的时候要
nòng qīng chu dí rén de qíng kuàng zhè yàng
弄清楚敌人的情况，这样
cái néng zhī jǐ zhī bǐ bǎi zhàn bú dài
才能“知己知彼，百战不殆”。

zuò shān guān hǔ dòu

坐山观虎斗。

jiě xī bǐ yù zàn bú jiè rù gè fāng jiān de zhēng dòu děng dài jī huì cóng zhōng yú lì

【解析】比喻暂不介入各方间的争斗，等待机会从中渔利。

lì jù wǒ men zàn shí kě yǐ cǎi qǔ zuò shān guān hǔ dòu de tài du kàn qīng xíng shì hòu zài cǎi qǔ xíng dòng

【例句】我们暂时可以采取“坐山观虎斗”的态度，看清形势后再采取行动。

【典故】

zhàn guó shí hán wèi liǎng guó jiāo zhàn qín huì wáng xiǎng bāng zhù hán guó zhēng qiú chǔ guó shǐ chén chén zhěn de yì jiàn chén zhěn gěi tā jiǎng le biàn zhuāng zǐ cì hǔ de gù shi yí cì biàn zhuāng zǐ yào shàng shān cì hǔ pú rén shuō xiàn zài liǎng hǔ zhèng zài wèi chī niú dǎ dòu jié guǒ yí dìng shì dà hǔ shāng xiǎo hǔ sǐ dào nà shí

战国时，韩魏两国交战，秦惠王想帮助韩国，征求楚国使臣陈轸的意见，陈轸给他讲了卞庄子刺虎的故事。一次，卞庄子要上山刺虎，仆人说：“现在两虎正在为吃牛打斗，结果一定是大虎伤，小虎死，到那时

您再去，必得两虎。”卞庄子听了仆人的话，果然轻而易举地斩杀了受伤的大虎，又得了已死的小虎。秦惠王听了大喜，道：“好，我就坐山观虎斗。”

磨炼自立

玉不琢，不成器。

【解析】玉石不经雕琢，成不了器物。比喻人不受教育、不学习，就不可能有成就。

【例句】我们应该感谢教育我们的老师，“玉不琢，不成器”，是他们的辛勤培育才让我们茁壮成长。

铁要打，人要练。

【解析】铁要经过锻打才能成为有用的器具，人要多磨炼才能成才。

lì jù　tiě yào dǎ　rén yào liàn　zhè tào dòng zuò dà
【例句】“铁要打，人要练”，这套动作大
jiā yào duō liàn xí cái xíng
家要多练习才行。

yīng tao hǎo chī shù nán zāi　bú xià kǔ gōng huā bù kāi
樱桃好吃树难栽，不下苦功花不开。

jiě xī　yīng tao chī qǐ lái hǎo chī　dàn shì yīng tao shù de
【解析】樱桃吃起来好吃，但是樱桃树的
zāi péi què bù róng yì　bù kěn liú hàn shuǐ huā jiù bú huì kāi
栽培却不容易，不肯流汗水花就不会开。

lì jù　yīng tao hǎo chī shù nán zāi　bú xià kǔ gōng huā bù
【例句】“樱桃好吃树难栽，不下苦功花不
kāi　wǒ men xiǎng yào dé dào hǎo de guǒ shí　jiù yào xīn qín láo dòng
开”，我们想要得到好的果实，就要辛勤劳动。

kùn nan xiàng tán huáng　kàn nǐ qiáng bu qiáng
困难像弹簧，看你强不强；
nǐ qiáng tā jiù ruò　nǐ ruò tā jiù qiáng
你强它就弱，你弱它就强。

jiě xī　kùn nan jiù xiàng tán huáng　yào kàn nǐ de néng lì zěn
【解析】困难就像弹簧，要看你的能力怎
me yàng　nǐ qiáng le tā jiù wú fǎ dǐ dǎng nǐ　nǐ ruò le tā jiù huì
么样，你强了它就无法抵挡你，你弱了它就会
zǔ ài nǐ
阻碍你。

lì jù　wǒ men yīng yǒng de hóng jūn zhàn shì jiān xìn　kùn nan
【例句】我们英勇的红军战士坚信“困难
xiàng tán huáng　kàn nǐ qiáng bu qiáng　nǐ qiáng tā jiù ruò　nǐ ruò tā jiù
像弹簧，看你强不强；你强它就弱，你弱它就
qiáng　kè fú le zhǒngzhǒng kùn nan　qǔ dé
强”，克服了种种困难，取得
le rén lèi jūn shì shǐ shang shǐ wú qián lì de
了人类军事史上史无前例的
shèng lì
胜利。

rén zài shì shàng liàn dāo zài shí shang mó
人在世上炼，刀在石上磨。

jiě xī rén yào jīng lì shì shì jīng guò mó liàn cái dǒng de
【解析】人要经历世事、经过磨炼才懂得
dào lǐ cái néng chéng jiù shì yè jiù xiàng dāo yào zài shí tou shang mó
道理，才能成就事业。就像刀要在石头上磨
lì cái néng fēng lì
砺才能锋利。

lì jù rén zài shì shàng liàn dāo zài shí shang mó yí
【例句】“人在世上炼，刀在石上磨”，一
gè rén chéngzhǎng bì xū jīng guò shì shì de mó liàn
个人成长必须经过世事的磨炼。

nán ér dāng zì qiáng
男儿当自强。

jiě xī hǎo nán ér jiù yīng dāng zì
【解析】好男儿就应当自
lì zì qiáng
立自强。

lì jù nán ér dāng zì qiáng
【例句】“男儿当自强”，
kū bí zi shì zì jǐ ruǎn ruò de biǎo xiàn
哭鼻子是自己软弱的表现。

chī de kǔ zhōng kǔ fāng wéi rén shàng rén
吃得苦中苦，方为人上人。

jiě xī chī de qiān xīn wàn kǔ cái néng chéng wéi bié ren jìng
【解析】吃得千辛万苦，才能成为别人敬
zhòng de rén bǐ yù zhǐ yǒu jiān kǔ fèn dòu fù chū xīn qín de láo
重的人，比喻只有艰苦奋斗，付出辛勤的劳
dòng cái néng qǔ dé chénggōng
动，才能取得成功。

lì jù chī de kǔ zhōng kǔ fāng wéi rén shàng rén xìng
【例句】“吃得苦中苦，方为人上人”，幸
fú shēng huó shì bú huì cóng tiān ér jiàng de
福生活是不会从天而降的。

shě de yì shēn guǎ gǎn bǎ huáng dì lā xià mǎ
舍得一身剐，敢把皇帝拉下马。

jiě xī bǐ yù zài wēi xiǎn de shì pīn zhe yì sǐ yě gǎn
【解析】比喻再危险的事，拼着一死也敢
gàn xià qù
干下去。

lì jù shě de yì shēn guǎ gǎn bǎ huáng dì lā xià mǎ
【例句】“舍得一身剐，敢把皇帝拉下马”，
xióng māo jīng jing jiù shì zhè yàng wèi le zhǎo dào xióng māo lè yuán jí shǐ
熊猫京京就是这样，为了找到熊猫乐园，即使
zài lù shang yù dào le hěn duō de jiān nán xiǎn zǔ yě méi yǒu fàng qì
在路上遇到了很多的艰难险阻，也没有放弃
mèng xiǎng
梦想。

【典故】

míng cháo shí qī yǒu fù zǐ èr rén zài jīng chéng jīng yíng yì jiā
明朝时期，有父子二人在京城经营一家
zhū bǎo diàn yīn wèi rén chéng shí rè qíng suǒ yǐ shēng yi xīng lóng yǒu
珠宝店，因为人诚实热情，所以生意兴隆。有
gè tài jiàn tīng shuō cǐ shì jiù ràng tā men chū zī yòng zhēn zhū xiāng qiàn
个太监听说此事，就让他们出资，用珍珠镶嵌
wàn shòu wú jiāng sì gè zì de jīn biǎn sòng gěi huáng dì
“万寿无疆”四个字的金匾，送给皇帝。

fù zǐ liǎ bù gǎn dé zuì gōng
父子俩不敢得罪公
gong zhǐ hǎo zhào bàn le huáng dì kàn
公，只好照办了，皇帝看
hòu hěn gāo xìng bú liào huáng dì yòu
后很高兴。不料，皇帝又
ràng tā men zhì zuò yí tào yù diāo píng
让他们制作一套玉雕屏
fēng nà jīn biǎn yǐ huā le yí bàn jiā chǎn zài
风。那金匾已花了一半家产，再
zuò yí gè yù píng fēng qīng jiā dàng chǎn yě bú gòu
做一个玉屏风，倾家荡产也不够

呀！父亲不堪重负，在家悬梁自尽了。儿子见此情形，怒火中烧，伺机为父报仇。

这天，皇帝野外打猎，他得到给皇帝牵马的机会，趁其不备，用力一拉，皇帝摔在地上。他抽出匕首，要刺杀皇帝，却被侍卫阻拦。皇帝令士兵将他身上的肉一片一片地割下来，至死他都傲然屹立，因此有了“舍得一身剐，敢把皇帝拉下马”的说法。

成败得失

胜败乃兵家常事。

【解析】胜利或失败是带兵作战的人常遇到的事情。意思是不要把某次胜利或失败看得太重。

【例句】“胜败乃兵家常事”，不必灰心，我们要多吸取经验教训。

shèng bù jiāo bài bù něi
胜不骄，败不馁。

jiě xī shèng lì le bú yào jiāo ào shī bài le yě bú yào qì něi
【解析】胜利了不要骄傲，失败了也不要气馁。

lì jù bù guǎn jié guǒ zěn yàng wǒ men dōu yào shèng bù jiāo bài bù něi
【例句】不管结果怎样，我们都要“胜不骄，败不馁”。

sài wēng shī mǎ yān zhī fēi fú
塞翁失马，焉知非福。

jiě xī bǐ yù yì shí suī rán shòu dào sǔn shī yě xǔ fǎn ér yīn cǐ néng dé dào hǎo chù yě zhǐ huài shì zài yí dìng tiáo jiàn xià kě biàn wéi hǎo shì
【解析】比喻一时虽然受到损失，也许反而因此能得到好处。也指坏事在一定条件下可变为好事。

lì jù zhè yí cì nǐ shī yè le yě bú yào tài shāng xīn sài wēng shī mǎ yān zhī fēi fú ma wǒ duì xiǎo wáng shuō
【例句】“这一次你失业了也不要太伤心，‘塞翁失马，焉知非福’嘛。”我对小王说。

【典故】

zhàn guó shí qī yǒu gè zhù zài sài shàng de lǎo wēng yǎng le xǔ duō mǎ yì tiān tā fā xiàn shǎo le yì pǐ lín jū men ān wèi tā bú bì zháo jí zhù yì shēn tǐ sài wēng xiào dào diū le yì pǐ mǎ méi zhǔn hái huì
战国时期，有个住在塞上的老翁，养了许多马，一天，他发现少了一匹。邻居们安慰他不必着急，注意身体。塞翁笑道：“丢了一匹马，没准还会

dài lái shén me fú qi ne
带来什么福气呢。”

lín jū men tīng le xīn li jué de hǎo xiào mǎ pǎo diū míng míng
邻居们听了，心里觉得好笑：马跑丢明明
shì huài shì què rèn wéi yě xǔ shì hǎo shì zì wǒ ān wèi bà le
是坏事，却认为也许是好事，自我安慰罢了。
guò le jǐ tiān diū shī de mǎ bù jǐn huí jiā le hái dài huí yì pǐ
过了几天，丢失的马不仅回家了，还带回一匹
xiōng nú de jùn mǎ lín jū men dōu shuō nín zhēn yǒu yuǎn jiàn shī
匈奴的骏马。邻居们都说：“您真有远见，失
mǎ fù dé fú qi ya
马复得，福气呀。”

sài wēng miàn duì páng rén de zàn shǎng bìng bù gāo xìng yōu lǜ de
塞翁面对旁人的赞赏并不高兴，忧虑地
shuō bái dé le yì pǐ hǎo mǎ bù zhī shì fú shì huò ya lín
说：“白得了一匹好马，不知是福是祸呀！”邻
jū men yǐ wéi tā shì zài gù zuò zī tài
居们以为他是在故作姿态。

sài wēng yǒu gè dú shēng
塞翁有个独生
zǐ xǐ huan qí mǎ kàn
子，喜欢骑马，看
dào nà pǐ xiōng nú jùn mǎ
到那匹匈奴骏马
biàn qù qí méi xiǎng dào
便去骑，没想到
shuāi duàn le tuǐ lín jū
摔断了腿。邻居
men yòu lái wèi wèn
们又来慰问，
sài wēng què shuō méi
塞翁却说：“没
shén me tuǐ shuāi duàn
什么，腿摔断
le què bǎo zhù xìng
了却保住性
mìng huò xǔ shì fú
命，或许是福

qi ne dà jiā tīng le rèn wéi tā zài hú yán luàn yǔ xiǎng bu chū
气呢。”大家听了，认为他在胡言乱语，想不出
yǒu shén me fú shì
有什么福事。

bù jiǔ xiōng nú rù qīn qīng
不久，匈奴入侵，青
nián rén yìng zhēng rù wǔ sài wēng de
年人应征入伍，塞翁的
ér zi yīn wèi shuāi duàn le tuǐ bù
儿子因为摔断了腿，不
néng qù dāng bīng rù wǔ de qīng nián dōu zhàn
能去当兵。入伍的青年都战
sǐ le wéi yǒu sài wēng de ér zi bǎo quán le
死了，唯有塞翁的儿子保全了
xìng mìng
性命。

wàn shì kāi tóu nán
万事开头难。

jiě xī wú lùn zuò shén me shì qing kāi tóu zǒng shì hěn nán de
【解析】无论做什么事情，开头总是很难的。

lì jù měi cì xiě zuò wén de shí hou kāi tóu wǒ dōu yào
【例句】每次写作文的时候，开头我都要
xiǎng hěn cháng shí jiān wàn shì kāi tóu nán na
想很长时间，“万事开头难”哪！

shī bài shì chéng gōng zhī mǔ
失败是成功之母。

jiě xī shī bài wǎng wǎng shì chéng gōng de xiān dǎo bǐ yù cóng
【解析】失败往往是成功的先导，比喻从
shī bài zhōng xī qǔ jiào xun zuì hòu qǔ dé shèng lì
失败中吸取教训，最后取得胜利。

lì jù shī bài shì chéng gōng zhī mǔ zhè cì shī bài le
【例句】“失败是成功之母”，这次失败了，
wǒ xià cì zài lái
我下次再来！

bài jiā róng yì xīng jiā nán
败家容易兴家难。

jiě xī bài diào jiā chǎn hěn róng yì xīng wàng jiā yè què huì hěn nán
【解析】败掉家产很容易，兴旺家业却会很难。

lì jù suī rán xiǎo míng jiā li hěn fù yǒu dàn tā què shì gè jié yuē qín jiǎn de hǎo hái zi yīn wèi bà ba jīng cháng jiào dǎo tā shuō bài jiā róng yì xīng jiā nán
【例句】虽然小明家里很富有，但他却是个节约勤俭的好孩子，因为爸爸经常教导他说："败家容易兴家难。"

yǒu dé bì yǒu shī
有得必有失。

jiě xī dé dào le yì xiē dōng xi de tóng shí yě huì shī qù yì xiē dōng xi
【解析】得到了一些东西的同时也会失去一些东西。

lì jù xiǎo lán míng bai yǒu dé bì yǒu shī de dào lǐ měi tiān dōu huì xī shēng diào yì xiē wán de shí jiān lái liàn xí zì jǐ zuì xǐ huan de gāng qín
【例句】小兰明白"有得必有失"的道理，每天都会牺牲掉一些玩的时间来练习自己最喜欢的钢琴。

yǒu yì zāi huā huā bù fā, wú xīn chā liǔ liǔ chéng yīn
有意栽花花不发，
无心插柳柳成荫。

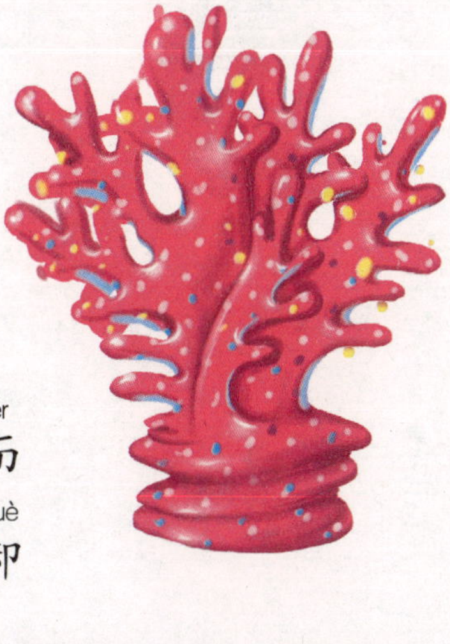

jiě xī rén men kè yì yòng xīn qù zāi péi huā duǒ bù yí dìng chéng huó ér wú yì zhōng chā zài tǔ li de liǔ shù miáo què
【解析】人们刻意用心去栽培花朵不一定成活，而无意中插在土里的柳树苗却

在不知不觉中长成了一片绿荫。这句话告诉我们，有些事不要刻意而为之，顺其自然倒比较容易成功。

【例句】在篮球比赛中，他“有意栽花花不发，无心插柳柳成荫”，本来是准备把球传给队友的，结果球直接打进了对方篮筐里。

【典故】

元朝有个大官的儿子名叫魏鹏，自幼与贾家之女定亲，父亲死后便归乡，与贾家多年未来往。魏鹏18岁时，聪明好学，精通文史，但屡试不中，心中郁闷。母亲让他去浙江一趟，一则访师问友，二则散散心，三则找贾家议定婚期。贾家老夫人见到魏鹏很喜欢，便留他住下。他与小姐朝夕相处，两情相悦。数月后，魏母催其归家应试。他一心想着婚事，无心应试，草草了事，却一举中第。待到廷试，又

zhòng jiǎ bǎng rén yuē yǒu yì zāi huā huā bù fā wú xīn chā liǔ liǔ
中甲榜。人曰：有意栽花花不发，无心插柳柳
chéng yīn
成荫。

shān chóng shuǐ fù yí wú lù liǔ àn huā míng yòu yì cūn
山重水复疑无路，柳暗花明又一村。

jiě xī xíng róng miàn duì chóng chóng jiān nán xiǎn zǔ bú tuì suō
【解析】形容面对重重艰难险阻，不退缩、
bú wèi jù yǒng yú kāi tuò fā fèn qián jìn nà me qián fāng jiāng shì
不畏惧，勇于开拓，发奋前进，那么前方将是
yí gè chōng mǎn guāng míng yǔ xī wàng de zhǎn xīn jìng jiè
一个充满光明与希望的崭新境界。

lì jù zhè chǎng bǐ sài wǒ běn yǐ
【例句】这场比赛我本以
wéi yào shū le shéi zhī duì fāng shī wù le
为要输了，谁知对方失误了，
gěi le wǒ yí gè fǎn jī de jī huì fǎn bài
给了我一个反击的机会反败
wéi shèng zhēn shì shān chóng shuǐ fù yí wú lù
为胜，真是“山重水复疑无路，
liǔ àn huā míng yòu yì cūn a
柳暗花明又一村”啊。

shéi xiào dào zuì hòu shéi cái xiào de zuì hǎo
谁笑到最后，谁才笑得最好。

jiě xī bǐ yù qǔ dé zuì hòu de shèng lì cái shì zhēn zhèng de
【解析】比喻取得最后的胜利才是真正的
yíng jiā
赢家。

lì jù zhè cì qī zhōng kǎo shì xiǎo míng bǐ xiǎo yǔ kǎo de hǎo
【例句】这次期中考试小明比小雨考得好，
xiǎo yǔ bù fú qì de shuō qī mò kǎo shì hái méi kāi shǐ ne shéi
小雨不服气地说：“期末考试还没开始呢，‘谁
xiào dào zuì hòu shéi cái xiào de zuì hǎo
笑到最后，谁才笑得最好’。”

谋事在人，成事在天。

【解析】意思是自己已经尽力而为，至于能否达到目的，那就要看运气了。

【例句】“谋事在人，成事在天”，凡事不能过于强求。

【典故】

三国时，魏兵在祁山攻打蜀寨，听说司马懿大败，失了渭南营寨，军心慌乱。魏军退时，四面蜀兵冲杀过来，魏兵大败，十伤八九，死者无数。诸葛亮在山上见魏延引诱司马懿入谷，霎时火光大起，心中

shèn xǐ yǐ wéi sī mǎ yì cǐ fān bì sǐ méi xiǎng dào tiān jiàng dà
甚喜，以为司马懿此番必死。没想到，天降大
yǔ huǒ bèi pū miè lái bào shuō sī mǎ yì fù zǐ dōu yǐ táo pǎo
雨，火被扑灭，来报说司马懿父子都已逃跑。
zhū gě liàng tàn dào móu shì zài rén chéng shì zài tiān bù kě qiǎng yě
诸葛亮叹道：“谋事在人，成事在天，不可强也！”

bú rù hǔ xué yān dé hǔ zǐ
不入虎穴，焉得虎子。

jiě xī bú jìn rù lǎo hǔ de dòng xué zěn me néng gòu zhuā
【解析】不进入老虎的洞穴，怎么能够抓
dào lǎo hǔ de hái zi cháng yòng lái bǐ yù zuò shì qing yào gǎn yú mào
到老虎的孩子？常用来比喻做事情要敢于冒
xiǎn cái néng chéng gōng
险才能成功。

lì jù bú rù hǔ xué yān dé hǔ zǐ wǒ men zhǐ
【例句】“不入虎穴，焉得虎子”？我们只
néng mào xiǎn qù yí tàng le
能冒险去一趟了。

【典故】

dōng hàn shí hàn míng dì
东汉时，汉明帝
zhào jiàn bān chāo pài tā dào xīn
召见班超，派他到新
jiāng qù tóng shàn
疆去同鄯
shàn wáng jiāo hǎo
善王交好。
bān chāo lì jìn
班超历尽
jiān xīn lái
艰辛，来
dào xīn jiāng
到新疆。

鄯善王十分友好，将其奉为上宾。这时，匈奴也派使者来跟鄯善王联络感情，他们在鄯善王面前破坏东汉形象，使其与班超疏远。班超想："只有除掉匈奴使者才能与鄯善王交好。"班超人马不多，而匈奴兵强马壮，防守严密。班超对手下说："不入虎穴，焉得虎子！"

这天深夜，班超带领士兵潜到匈奴营地，兵分两路，他们一面放火烧帐篷，一面击鼓呐喊。匈奴人大乱，死伤无数。鄯善王得知真相后，便跟班超和好，与东汉交好。

愚者千虑，必有一得。

【解析】再平庸的人在经过深思熟虑后，也会有可取的想法。

【例句】我们做事情要多加考虑，毕竟"愚者千虑，必有一得"啊。

【典故】

晏婴是齐景公的相国，辅佐齐景公治理

国家，有很大功劳。齐景公听说晏婴十分廉洁，所以并不富裕，就赏赐了他很多黄金，但晏婴都推辞不受。齐景公问他原因。晏婴说："我的俸禄足以养家。我接受你的赏赐，如果拿去救济百姓，是替自己收买民心；如果把它收藏起来，不过是做了一个管理者。聪明的人是不会这样干的。"齐景公说："当年管仲辅佐先君齐桓公，立有大功，桓公赏赐了他许多土地和财宝，管仲都接受了。你的功劳并不比管仲小，为什么我的赏赐你又不接受呢？"晏婴说："管仲是智者，他的考虑也未必都正确；我是愚者，但我的考虑不一定都不对。这就是俗话所说的'智者千虑，必有一失；愚者千虑，必有一得。'"

经验教训

不经一事，不长一智。

【解析】不经历一件事情，就不能增长对

nà jiàn shì qing de jiàn shi
那件事情的见识。

lì jù bù jīng yí shì bù zhǎng yí zhì xiǎo yǔ yǎng
【例句】“不经一事，不长一智”，小雨养
de gǒu yīn wèi nián lǎo sǐ qù le tā hěn shāng xīn tóng shí yě gèng jiā
的狗因为年老死去了，他很伤心，同时也更加
dǒng de le shēngmìng de zhēn guì
懂得了生命的珍贵。

yì zhāo bèi shé yǎo shí nián pà jǐng shéng
一朝被蛇咬，十年怕井绳。

jiě xī xíng róng bèi yì zhǒng shì wù shāng hài guò hòu hěn cháng
【解析】形容被一种事物伤害过后，很长
yí duàn shí jiān nèi yù dào yǔ nà jiàn shì
一段时间内，遇到与那件事
wù xiāngguān de dōng xi dōu hái xīn yǒu yú jì
物相关的东西都还心有余悸。

lì jù tā xiǎo shí hou bù xiǎo
【例句】他小时候不小
xīn diào dào hé li guo guò le hěn cháng shí
心掉到河里过，过了很长时
jiān tā hái shi hěn hài pà shuǐ zhēn shì
间，他还是很害怕水，真是
yì zhāo bèi shé yǎo shí nián pà jǐng shéng ya
“一朝被蛇咬，十年怕井绳”呀。

qián chē zhī fù hòu chē zhī jiàn
前车之覆，后车之鉴。

jiě xī bǐ yù yǐ wǎng de shī bài jīng
【解析】比喻以往的失败经
yàn kě yǐ yǐ hòu dàng zuò jiào xun
验，可以以后当做教训。

lì jù lì shǐ shang yǒu hěn duō qián
【例句】历史上有很多“前
chē zhī fù hòu chē zhī jiàn de shì jiàn néng
车之覆，后车之鉴”的事件，能

ràng wǒ men cóngzhōng jí qǔ jīng yàn jiào xun bú zài rào wān lù
让我们从中汲取经验教训，不再绕弯路。

cōng míng de rén bú huì liǎng cì bèi tóng yí kuài shí tou bàn dǎo
聪明的人不会两次被同一块石头绊倒。

jiě xī yǒu zhì huì de rén bú huì liǎng cì fàn tóng yàng de cuò wù
【解析】有智慧的人不会两次犯同样的错误。

lì jù wǒ yǐ jīng bú huì zài fàn zhè yàng de cuò wù le, cōng míng de rén bú huì liǎng cì bèi tóng yí kuài shí tou bàn dǎo de
【例句】我已经不会再犯这样的错误了，“聪明的人不会两次被同一块石头绊倒”的。

qián shì bú wàng hòu shì zhī shī
前事不忘，后事之师。

jiě xī jì zhù guò qù de jīng yàn jiào xun kě zuò wéi yǐ hòu de jiè jiàn
【解析】记住过去的经验、教训，可作为以后的借鉴。

lì jù qián shì bú wàng hòu shì zhī shī rì běn jūn guó zhǔ yì fèn zǐ rú guǒ bù fǎn sī zhànzhēng zuì xíng jì xù yí yì gū xíng bì jiāng shòu dào quán shì jiè rén mín de tuò qì
【例句】“前事不忘，后事之师”，日本军国主义分子如果不反思战争罪行，继续一意孤行，必将受到全世界人民的唾弃。

【典故】

chūn qiū mò nián jìn guó de dà quán luò dào zhì zhào wèi hán sì qīng shǒuzhōng jìn dìng gōngchéng le kuǐ lěi gōng yuán qián nián jìn dìng gōng pài shǐ zhě qǐng qiú qí lǔ liǎng guó chū bīng tǎo fá sì gè quán
春秋末年，晋国的大权落到智、赵、魏、韩四卿手中，晋定公成了傀儡。公元前458年，晋定公派使者请求齐、鲁两国出兵讨伐四个权

臣。四个人得知后，联合出兵攻打晋定公，晋定公无力抵抗，只得出逃，病死在路上。

晋定公死后，宗室姬骄被立为国君，史称晋哀公。智伯独揽朝政大权，成为晋国最大的卿。其他三卿赵襄子、魏桓子和韩康子都无法与他抗衡。智伯分别向魏桓子和韩康子要土地。当他要求赵襄子割地时，遭到了拒绝。智伯非常恼怒，立即派人给魏桓子和韩康子传信，要他们出兵和自己一起去攻打赵襄子。

赵襄子料到智伯会攻打自己，忙找谋臣张孟谈商量。当天晚上，张孟谈潜入魏、韩营中，说服魏桓子和韩康子三家联合起来消灭智伯，事成之后平分智氏的领地。到了约定的那

一天，赵、魏、韩三家联合进攻，杀得智军四散逃窜，智伯被擒。从此，晋国成了赵、魏、韩三家鼎立的局面。

一天，张孟谈向赵襄子告别。赵襄子急忙挽留，问他为何要走，张孟谈说：“你想的是报答我的功劳，我想的是治国的道理，正因为我的功劳大，名声甚至还会超过你，所以才决心离开。在历史上，从来没有君臣权势相同而永远和平相处的。前事不忘，后事之师。请你让我走吧。”赵襄子惋惜地答应了。张孟谈辞去官职，退还封地，隐居起来，平安地度过了自己的晚年。

调查研究

耳听为虚，眼见为实。

【解析】听到的不可靠，亲眼见到的才真实。

【例句】很多事情都是“耳听为虚，眼见为实”。

yào zhī shān xià lù xū wèn guò lái rén
要知山下路，须问过来人。

jiě xī bǐ yù yào zuò chéng mǒu jiàn shì yīng dāng xū xīn xiàng
yǒu jīng yàn de rén qǐng jiào
【解析】比喻要做成某件事，应当虚心向有经验的人请教。

lì jù yào zhī shān xià lù xū wèn guò lái rén xiǎo
míng dì yī cì xué zuò fàn de shí hou fēi cháng xū xīn de qǐng jiào le
mā ma
【例句】“要知山下路，须问过来人”，小明第一次学做饭的时候，非常虚心地请教了妈妈。

gé háng rú gé shān gé háng bù gé lǐ
隔行如隔山，隔行不隔理。

jiě xī měi gè háng yè lǐng yù dōu yǒu qí zì shēn de tè
shū xìng xiāng hù zhī jiān cún zài zhè yàng nà yàng de chā yì dàn qí fā
xiàn wèn tí fēn xī wèn tí jiě jué wèn tí de jī běn sī lù hé fāng
fǎ xiāng tōng yǒu gòng tóng de guī lǜ kě xún
【解析】每个行业、领域都有其自身的特殊性，相互之间存在这样那样的差异，但其发现问题、分析问题、解决问题的基本思路和方法相通，有共同的规律可循。

lì jù suī rán bà ba mā ma zuò zhe bù tóng de zhí yè
dàn shì tā men jīng cháng zài yì qǐ hù xiāng tǎo lùn néng jǐ yǔ duì fāng
hěn hǎo de jiàn yì zhè jiù shì gé háng rú gé shān gé háng bù gé
lǐ de dào lǐ ba
【例句】虽然爸爸妈妈做着不同的职业，但是他们经常在一起互相讨论，能给予对方很好的建议，这就是“隔行如隔山，隔行不隔理”的道理吧。

jìn xìn shū bù rú wú shū
尽信书不如无书。

jiě xī bù jiā fēn xī de wán quán xiāng xìn shū běn shang de dōng
【解析】不加分析地完全相信书本上的东

xi hái bù rú bú kàn shū
西，还不如不看书。

lì jù yù dào shì qing wǒ men yào duō dòng nǎo jīn lěng jìng
【例句】遇到事情，我们要多动脑筋，冷静

fēn xī jìn xìn shū bù rú wú shū
分析，“尽信书不如无书”。

【典故】

yīn shāng mò nián zhōu wǔ wáng jì wèi hòu sì nián shuài bīng fá shāng
殷商末年，周武王继位后四年，率兵伐商，

bào fā le zhù míng de mù yě zhī zhàn
爆发了著名的牧野之战。

shàng shū wǔ chéng zhōng jì zǎi zhòu wáng shuài qí jūn huì
《尚书·武成》中记载：“纣王率其军，会

zhàn yú mù yě wǎng yǒu dí yú wǒ shī méi yǒu rén yuàn yì gēn wǒ
战于牧野。罔有敌于我师（没有人愿意跟我

wéi dí qián tú dǎo gē gōng yú hòu yǐ běi xiàng hòu bian de zì jǐ
为敌），前徒倒戈，攻于后以北（向后边的自己

rén gōng jī xuè liú piāo chǔ
人攻击），血流漂杵。”

yǒu yí cì mèng zǐ dú dào cǐ wén shuō xiàng
有一次，孟子读到此文，说：“像

zhōu wǔ wáng zhè yàng jiǎng rén dào de rén tǎo fá shāng zhòu wáng
周武王这样讲仁道的人，讨伐商纣王

zhè yàng jí wéi bù rén de rén zěn me huì shǐ xuè liú chéng
这样极为不仁的人，怎么会使血流成

hé ne mèng zǐ bù xiāng xìn shàng shū zhōng de
河呢？”孟子不相信《尚书》中的

zhè ge jì zǎi zhè yě tí xǐng
这个记载。这也提醒

wǒ men dú shū shí yīng gāi
我们：读书时应该

jiā yǐ fēn xī bù néng máng
加以分析，不能盲

mù de mí xìn shū běn
目地迷信书本。

nóng yè yǔ qì xiàng
农业与气象

nóng fù shēng chǎn
农副生产

cūn cūn wā táng yǒu yú yǒu liáng
村村挖塘，有鱼有粮。

jiě xī shì shuō rú guǒ cūn cūn dōu wā gè yú táng nà yí dìng cūn cūn fù shù bù quē yú yě bù quē liáng
【解析】是说如果村村都挖个鱼塘，那一定村村富庶，不缺鱼也不缺粮。

lì jù xiàn zài zhì fù fāng fǎ duō bǐ rú wā yú táng yǎng yú jiù bú cuò bú shì yǒu yàn yǔ cūn cūn wā táng yǒu yú yǒu liáng ma
【例句】现在致富方法多，比如挖鱼塘养鱼就不错，不是有谚语“村村挖塘，有鱼有粮”吗？

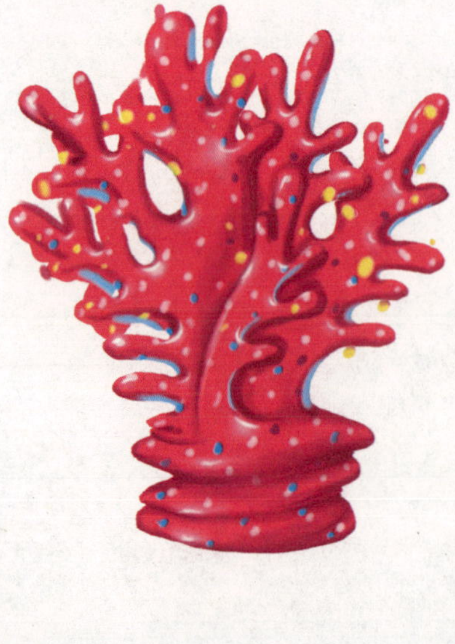

yào xiǎng yǎng hǎo cán bǎo bao
要想养好蚕宝宝，
xiāo dú yào hǎo shí yào bǎo
消毒要好食要饱。

jiě xī yào xiǎng yǎng hǎo cán jiù yào jīng cháng gěi cán shè xiāo dú hái yào měi tiān wèi bǎo tā
【解析】要想养好蚕，就要经常给蚕舍消毒，还要每天喂饱它。

lì jù hú běi rén shàn
【例句】湖北人善

yú yǎng cán tā men shuō yào xiǎng yǎng hǎo cán bǎo
于养蚕，他们说“要想养好蚕宝

bao xiāo dú yào hǎo shí yào bǎo
宝，消毒要好食要饱”。

jǐn lā yú màn lā xiā
紧拉鱼，慢拉虾。

jiě xī shōu wǎng de shí hou ruò shì
【解析】收网的时候，若是

yú jiù yào gǎn kuài lā shàng lái ruò shì xiā jiù
鱼就要赶快拉上来；若是虾就

yào màn màn lā fǒu zé xiā jiù huì cóng yú wǎng zhōng lòu chū qù
要慢慢拉，否则虾就会从渔网中漏出去。

lì jù sú huà shuō jǐn lā yú màn lā xiā yào shi
【例句】俗话说“紧拉鱼，慢拉虾”，要是

huǒ hou zhǎng wò de hǎo de huà jiù yú xiā bú lòu le
火候掌握得好的话，就鱼虾不漏了。

zhòng dé yì tián sāng kě miǎn yì jiā huāng
种得一田桑，可免一家荒。

jiě xī zhǒng yì mǔ tián de sāng shù yì jiā dōu bú huì ái
【解析】种一亩田的桑树，一家都不会挨

è
饿。

lì jù mén qián wū hòu hǎo zāi
【例句】门前屋后好栽

sāng yǎng qǐ cán lái bú
桑，养起蚕来不

yòng máng zhèng shì
用忙，正是

zhòng dé yì tián
“种得一田

sāng kě miǎn yì
桑，可免一

jiā huāng
家荒”。

liáng shi zuò wù
粮食作物

gǔ chū shuǐ lái jiāo, mài chū huǒ lái shāo
谷出水来浇，麦出火来烧。

jiě xī dào gǔ yào xiǎng shōu cheng hǎo, děi duō jiāo shuǐ, mài zi zé yào duō shài tài yáng
【解析】稻谷要想收成好，得多浇水，麦子则要多晒太阳。

lì jù zhòng dì yě yǒu xué wen, yǒu jù sú yǔ jiào: "gǔ chū shuǐ lái jiāo, mài chū huǒ lái shāo."
【例句】种地也有学问，有句俗语叫："谷出水来浇，麦出火来烧。"

dà shǔ bù gē hé, yì tiān diū yì kuāng
大暑不割禾，一天丢一筐。

jiě xī shì zhǐ dà shǔ de shí hou bù shōu gē dào zi, dào zi shàng miàn de dào lì jiù huì diào xià lái, huì sǔn shī hěn duō dào zi, suǒ yǐ shuō "yì tiān diū yì kuāng".
【解析】是指大暑的时候不收割稻子，稻子上面的稻粒就会掉下来，会损失很多稻子，所以说"一天丢一筐"。

lì jù zǎo dào chéng shú hòu yào zhuā jǐn shōu huò, yǐ fáng què hài hé luò lì, zhèng shì "dà shǔ bù gē hé, yì tiān diū yì kuāng".
【例句】早稻成熟后要抓紧收获，以防雀害和落粒，正是"大暑不割禾，一天丢一筐"。

秋分白云多，处处好田禾。

【解析】秋分是夏季的结束和秋季的开始，这时正是收割庄稼的好时节。

【例句】秋分的时节，秋高气爽，“秋分白云多，处处好田禾”，这时候正是收获粮食的好时节。

沙土花生黏土麦。

【解析】在沙土里种植花生，在黏土里种植麦子，这样有利于这两种农作物的生长。

【例句】“沙土花生黏土麦”，庄稼对土壤的要求是不同的。

春分不种麦，别怨收成坏。

【解析】若在春分时候没有种麦子，到了收获的季节就不要抱怨收成不好。

【例句】节气不等人，一刻值千金。我们想要收成好，就要按节气

zhòng nóng zuò wù，chūn fēn bú zhòng mài，
种农作物，“春分不种麦，
bié yuàn shōu cheng huài
别怨收成坏”。

qīng míng qián hòu，zhòng guā zhòng dòu
清明前后，种瓜种豆。

jiě xī　shì zhǐ zhòng guā zhòng dòu de shí jiān zuì hǎo shì zài qīng míng jié zuǒ yòu
【解析】是指种瓜种豆的时间最好是在清明节左右。

lì jù　qīng míng qián hòu，zhòng guā zhòng dòu　qīng míng shí jié，chú dōng běi yǔ xī běi dì qū wài，wǒ guó dà bù fen dì qū de rì píng jūn qì wēn yǐ shēng dào 12℃ yǐ shàng，dào chù shì yí piàn fán máng de chūn gēng jǐng xiàng
【例句】“清明前后，种瓜种豆”。清明时节，除东北与西北地区外，我国大部分地区的日平均气温已升到12℃以上，到处是一片繁忙的春耕景象。

chūn fēn zǎo，gǔ yǔ chí，qīng míng zhòng shǔ zhèng dāng shí
春分早，谷雨迟，清明种薯正当时。

jiě xī　chūn fēn zhòng shǔ yǒu diǎnr zǎo le，dào gǔ yǔ shí zhòng yòu wǎn le，zhǐ yǒu qīng míng jié qián hòu zhòng zhí shǔ lèi cái shì zuì shì dàng de jì jié
【解析】春分种薯有点儿早了，到谷雨时种又晚了，只有清明节前后种植薯类才是最适当的季节。

lì jù　shì shí zhòng shǔ nián nián shōu，guò zǎo guò chí dōu huì yǐng xiǎng shōu cheng，chūn fēn zǎo，gǔ yǔ chí，qīng míng zhòng shǔ zhèng dāng shí ma
【例句】适时种薯年年收，过早过迟都会影响收成，“春分早，谷雨迟，清明种薯正当时”嘛。

jīng jì zuò wù
经济作物

gǔ yǔ qián hǎo zhòng mián
谷雨前，好种棉。

jiě xī gǔ yǔ shí jié qián zhòng zhí mián hua zuò wù shì zuì shì dàng de shí jiān
【解析】谷雨时节前种植棉花作物，是最适当的时间。

lì jù wáng dà niáng yì biān bō zhòng mián hua yì biān gào su sūn zi zhòng mián hua yí dìng yào gǎn zài gǔ yǔ shí jié qián sú huà shuō gǔ yǔ qián hǎo zhòng mián
【例句】王大娘一边播种棉花，一边告诉孙子："种棉花一定要赶在谷雨时节前，俗话说'谷雨前，好种棉'。"

mián hua háng li shuì lǎo niú
棉花行里睡老牛。

jiě xī zhòng zhí mián hua háng yǔ háng zhī jiān yí dìng yào hěn kuān yào liú chū kě yǐ shuì xià yì tóu niú nà yàng de kuān dù
【解析】种植棉花，行与行之间一定要很宽，要留出可以睡下一头牛那样的宽度。

lì jù nóng mín bó bo shuō zhòng mián hua de shí hou háng yǔ
【例句】农民伯伯说，种棉花的时候行与
háng zhī jiān yí dìng yào yǒu hěn dà jiàn xì mián hua háng li shuì
行之间一定要有很大间隙——“棉花行里睡
lǎo niú
老牛”。

gāo dì zhòng zhī ma nián nián wú dà chà
高地种芝麻，年年无大差。

jiě xī zài dì shì gāo de dì fang
【解析】在地势高的地方
zhòng zhī ma zé nián nián huì fēng shōu
种芝麻，则年年会丰收。
lì jù zhòng zhī ma yǒu qiào mén
【例句】种芝麻有窍门，
gāo dì zhòng zhī ma nián nián wú dà chà
“高地种芝麻，年年无大差”。

ruò yào gān zhe mào dòu kū zuò féi liào
若要甘蔗茂，豆枯做肥料。

jiě xī shuō de shì ruò yòng dòu kū zuò féi liào zhǎng chū lái
【解析】说的是若用豆枯做肥料，长出来
de gān zhe jiù huì hěn mào shèng
的甘蔗就会很茂盛。
lì jù wáng dà ye de gān zhe zhòng de hěn hǎo yòu cū yòu
【例句】王大爷的甘蔗种得很好，又粗又
cháng lín jū men xiàng tā qǐng jiào yuán lái wáng dà ye shì yòng le yàn yǔ
长，邻居们向他请教，原来王大爷是用了谚语
li ruò yào gān zhe mào dòu kū zuò féi liào de mì jué
里“若要甘蔗茂，豆枯做肥料”的秘诀。

hán lù bù zhāi yān shuāng dǎ bié yuàn tiān
寒露不摘烟，霜打别怨天。

jiě xī yí dìng yào zài hán lù lái zhī qián bǎ zhòng de yān
【解析】一定要在寒露来之前把种的烟

草收割，否则就会被霜打坏，烟草的质量就不好了。

【例句】十月寒露来的时候，烟农们忙着收割烟草，因为古来素有“寒露不摘烟，霜打别怨天”的说法。

油菜听得锄头响，一边锄来一边长。

【解析】油菜听到锄头的响声，快速地生长，说明锄地松土有利于油菜生长。

【例句】油菜的生长速度很快，人们夸张地把它形容成“油菜听得锄头响，一边锄来一边长”。

久雨必有晴，久晴必有雨。

【解析】雨下久了，便会出晴天，晴天久了便会下一场大雨。

【例句】天气的变化有时也有规律，“久雨必有晴，久晴必有雨”。

shēng huó yǔ bǎo jiàn

生活与保健

rén shēng mìng yùn

人生命运

rén bù néng róng huá yí shì，shù bù néng cháng lǜ yì nián。

人不能荣华一世，树不能常绿一年。

jiě xī　rén shēng bú huì yì zhí yì fān fēng shùn，shù yè bú huì yì zhí dōu shì lǜ de。

【解析】人生不会一直一帆风顺，树叶不会一直都是绿的。

lì jù　wáng xiǎo jiě shì gè xīn cháng hěn ruǎn de rén，rèn wéi rén de qíng gǎn shì zuì yīng gāi zhēn zhòng de，suī shuō "rén bù néng róng huá yí shì，shù bù néng cháng lǜ yì nián"，dàn rén nèi xīn shēn chù de qíng gǎn shì kě yǐ zhēn cáng yì shēng de。

【例句】王小姐是个心肠很软的人，认为人的情感是最应该珍重的，虽说"人不能荣华一世，树不能常绿一年"，但人内心深处的情感是可以珍藏一生的。

rén shēng bù rú yì shì cháng bā jiǔ。

人生不如意事常八九。

jiě xī　rén de yì shēng zhōng，jīng lì de shì qing shí jiàn li wǎng wǎng yǒu bā jiǔ jiàn shì bù rú yì de。

【解析】人的一生中，经历的事情十件里往往有八九件是不如意的。

lì jù　xiǎo lǐ zuó tiān bèi gōng sī cí

【例句】小李昨天被公司辞

tuì le gǎn dào hěn jǔ sàng qī zi ān wèi tā shuō rén shēng bù
退了，感到很沮丧，妻子安慰他说：“‘人生不
rú yì shì cháng bā jiǔ nǐ yào zhèn zuò qǐ lái
如意事常八九’，你要振作起来。”

【典故】

jìn wǔ dì wèi miè diào wú pài yáng hù gǎn fù jīng zhōu yáng hù
晋武帝为灭掉吴，派羊祜赶赴荆州，羊祜
dào rèn hòu xùn sù qǔ dé jiāng hàn mín xīn suí hòu tí chū fá wú zhī
到任后，迅速取得江汉民心，随后提出伐吴之
jì jìn wǔ dì shí fēn zàn tóng dàn shì dāng shí běi fāng cháng shòu dào
计，晋武帝十分赞同。但是，当时北方常受到
qīn rǎo jìn jūn lǚ chī bài zhàng cháo zhōng yì lùn fēn fēn wǔ dì yě
侵扰，晋军屡吃败仗，朝中议论纷纷，武帝也
dòng yáo bú dìng zhì shǐ jì huà gē qiǎn wèi cǐ yáng hù tàn dào
动摇不定，致使计划搁浅。为此，羊祜叹道：
tiān xià bù rú yì héng shí jū qī bā gù yǒu dāng duàn bú duàn tiān
“天下不如意，恒十居七八，故有当断不断，天

与不取，岂非更事者恨于后时哉！”后来，这句话渐渐演变成“不如意事常八九”。

人生如白驹过隙。

【解析】时间像小白马在细小的缝隙前跑过一样。此句比喻人一生的时间过得极快，转瞬即逝。

【例句】王大爷回忆起陈年往事，常常都会感叹“人生如白驹过隙”。

是福不是祸，是祸躲不过。

【解析】祸与福相因而生，互相转化。此句暗指人遭遇各种好与坏的事情都是不可避免的。

【例句】今天我又迟到了，走到教室门口，想到老师阴沉的脸色，我不禁犹豫起来。转念一想：是福

bú shì huò shì huò duǒ bu guò wǒ
不是祸，是祸躲不过，我
yìng zhe tóu pí zǒu jìn qù le
硬着头皮走进去了。

rén wǎng gāo chù zǒu
人往高处走，
shuǐ wǎng dī chù liú
水往低处流。

jiě xī rén yào wǎng gèng gāo de dì
【解析】人要往更高的地
fang zǒu shuǐ wǎng dī de dì fang liú
方走，水往低的地方流。

lì jù xiǎo liú dào yì jiā dà gōng sī yìng pìn zhǔ guǎn wèn
【例句】小刘到一家大公司应聘，主管问
tā dào gōng sī de lǐ yóu tā shuō rén wǎng gāo chù zǒu shuǐ wǎng dī
他到公司的理由，他说：“人往高处走，水往低
chù liú
处流。”

yī shí zhù xíng
衣食住行

yī guì jié bú guì huá
衣贵洁，不贵华。

jiě xī chuān yī fu xū zhù zhòng zhěng jié bú bì jiǎng jiu áng
【解析】穿衣服需注重整洁，不必讲究昂
guì huá lì
贵、华丽。

lì jù xiǎo lì hěn xū róng xǐ huan zhuī qiú míng pái fú shì
【例句】小丽很虚荣，喜欢追求名牌服饰，
tā mā ma jīng cháng quàn tā yī guì jié bú guì huá rén bù yīng gāi
她妈妈经常劝她：“衣贵洁，不贵华，人不应该
tān mù xū róng
贪慕虚荣。”

qīng míng qián hòu luàn chuān yī
清明前后乱穿衣。

jiě xī zhǐ qīng míng jié qián hòu tiān qì róng yì biàn huàn rén
【解析】指清明节前后天气容易变换，人
men zǒng shì pín fán huàn yī fu
们总是频繁换衣服。

lì jù xiǎo bǎo yào chū yuǎn mén mā ma jiāo dài shuō zuì
【例句】小宝要出远门，妈妈交代说：“最
jìn tiān qì yīn qíng bú dìng sú huà shuō qīng míng qián hòu luàn chuān yī
近天气阴晴不定，俗话说，‘清明前后乱穿衣’，
nǐ chū mén zài wài yí dìng yào shì liàng de jiā jiǎn yī fu bì miǎn shēng bìng
你出门在外一定要适量地加减衣服，避免生病。”

qiān gǔn dòu fu wàn dùn yú
千滚豆腐万炖鱼。

jiě xī shì zhǐ dùn dòu fu hé yú
【解析】是指炖豆腐和鱼
de shí jiān yí dìng yào cháng yì xiē wèi dào cái
的时间一定要长一些，味道才
huì gèng hǎo
会更好。

lì jù sú huà shuō qiān gǔn dòu fu
【例句】俗话说“千滚豆腐
wàn dùn yú zhè yàng zuò chū lái de dùn
万炖鱼”，这样做出来的炖
yú wèi dào zhēn shì xiān měi
鱼味道真是鲜美。

wāi guā liè zǎo tián
歪瓜裂枣甜。

jiě xī wāi guā liè zǎo wài biǎo
【解析】歪瓜裂枣外表
chǒu lòu dàn qí shí gèng tián cháng yòng lái
丑陋，但其实更甜。常用来
xíng róng yí gè rén suī rán zhǎng xiàng chǒu lòu
形容一个人虽然长相丑陋，

dàn shì nèi xīn shàn liáng
但是内心善良。

lì jù lǐ nǚ shì zǒng shì duì zhǎng xiàng jī xíng de shuǐ guǒ qíng
【例句】李女士总是对长相畸形的水果情
yǒu dú zhōng zǒng rèn wéi wāi guā liè zǎo tián
有独钟，总认为“歪瓜裂枣甜”。

nìng kě shí wú ròu bù kě shí wú dòu
宁可食无肉，不可食无豆。

jiě xī nìng kě bù chī ròu yě bù néng bù chī dòu zi
【解析】宁可不吃肉，也不能不吃豆子。
zhǐ dòu lèi yíng yǎng jià zhí gāo
指豆类营养价值高。

lì jù zhāng dà ye fēi cháng zhù zhòng yǎng shēng rèn wéi dà dòu
【例句】张大爷非常注重养生，认为大豆
de yíng yǎng jià zhí hěn gāo nìng kě shí wú ròu bù kě shí wú dòu
的营养价值很高，“宁可食无肉，不可食无豆”。

zhāo shí sān piàn jiāng shèng guò rén shēn tāng
朝食三片姜，胜过人参汤。

jiě xī jiāng shǔ rè xìng zǎo chen chī hòu shēn tǐ bù hán bù
【解析】姜属热性，早晨吃后身体不寒不
lěng zhěng tiān dōu huì gǎn jué dào shū
冷，整天都会感觉到舒
shì shèn zhì bǐ rén shēn dōu guǎn yòng
适，甚至比人参都管用。

lì jù chén dà mā zǎo
【例句】陈大妈早
shang qǐ chuáng yǒu chī jiāng de xí guàn
上起床有吃姜的习惯，
ér nǚ dōu wèn wèi shén me chén dà
儿女都问为什么，陈大
mā shuō zhāo shí sān piàn jiāng shèng
妈说：“朝食三片姜，胜
guò rén shēn tāng
过人参汤。”

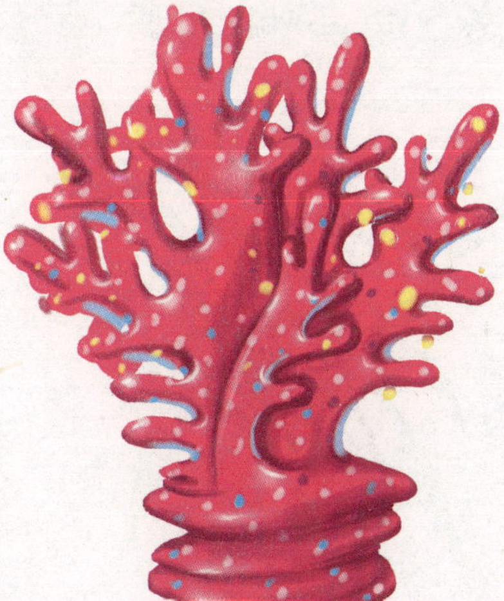

dà suàn shì gè bǎo cháng chī shēn tǐ hǎo
大蒜是个宝，常吃身体好。

jiě xī dà suàn shì yì zhǒng duì
【解析】大蒜是一种对
shēn tǐ fēi cháng yǒu lì de shí wù jīng cháng
身体非常有利的食物，经常
chī néng qǐ dào bǎo jiàn de zuò yòng
吃能起到保健的作用。

lì jù zhāng yé ye hěn xǐ huan chī dà suàn jīng cháng quàn bù
【例句】张爷爷很喜欢吃大蒜，经常劝不
xǐ huan suàn de lǎo bàn shuō dà suàn shì gè bǎo cháng chī shēn tǐ hǎo
喜欢蒜的老伴说：“大蒜是个宝，常吃身体好。”

yǎng shēng bǎo jiàn
养生保健

xīn jìng zì rán liáng
心静自然凉。

jiě xī běn yì shì zhǐ xīn li píng jìng shēn tǐ zì rán liáng
【解析】本义是指心里平静，身体自然凉
kuai hòu zhǐ zài yù dào wèn tí kùn nan cuò zhé shí fàng píng xīn
快。后指在遇到问题、困难、挫折时，放平心
tài yǐ yì kē píng cháng xīn qù chǔ lǐ shēng huó zhōng de wèn tí
态，以一颗平常心去处理生活中的问题。

lì jù kù shǔ nán áo xiǎo
【例句】酷暑难熬，小
wáng rè de zài wū li tuán tuán zhuàn hòu
王热得在屋里团团转，后
lái suǒ xìng tǎng zài chuáng shang yí dòng bú
来索性躺在床上一动不
dòng bú shì shuō xīn jìng zì rán liáng
动。不是说“心静自然凉”
ma huò xǔ zhè yàng huì liáng kuai yì diǎnr
吗？或许这样会凉快一点儿，
xiǎo wáng zài xīn li zuó mo zhe
小王在心里琢磨着。

xīn li tòng kuài bǎi bìng xiāo
心里痛快百病消。

jiě xī jīng cháng bǎo chí xīn qíng kāi lǎng jí bìng yě bù róng
【解析】经常保持心情开朗，疾病也不容
yì chánshàng nǐ
易缠上你。

lì jù wáng dà ye duì chūn méi shuō rén xīn li tòng kuài
【例句】王大爷对春梅说："人心里痛快，
yǒu diǎnr bìng yě bù jué zěn me de wǒ gàn huó lào xià de yāo tuǐ
有点儿病也不觉怎么的。我干活落下的腰腿
tòng yě méi zěn me zhì dào jiàn jiàn hǎo la chūn méi shuō dà
痛，也没怎么治，倒渐渐好啦！"春梅说："大
ye zhè jiào xīn li tòng kuài bǎi bìng xiāo ya
爷，这叫'心里痛快百病消'呀！"

xīn kuān tǐ pán qín láo tǐ zhuàng
心宽体胖，勤劳体壮。

jiě xī zhǐ xīn qíng yú kuài wú suǒ qiān guà yīn ér rén
【解析】指心情愉快，无所牵挂，因而人
yě róng yì fā pàng qín kuai láo dòng shēn tǐ zì rán jiù qiáng zhuàng
也容易发胖。勤快劳动，身体自然就强壮。

lì jù lóng nǚ shì zuì jìn tuì xiū le xīn xiōng kāi kuò wú
【例句】龙女士最近退休了，心胸开阔，无
suǒ qiān guà zhēn shì xīn kuān tǐ pán tā yòu jīng chángduàn liàn zhēn
所牵挂，真是"心宽体胖"。她又经常锻炼，真
shì qín láo tǐ zhuàng a
是"勤劳体壮"啊。

nù shāng gān xǐ shāng xīn
怒伤肝，喜伤心。

jiě xī chōngdòng yì nù huì sǔn
【解析】冲动易怒会损
hài gān zàng huān xǐ tài guò zé sǔn shāng xīn
害肝脏；欢喜太过，则损伤心
qì fàn zhǐ rén bù yí dà xǐ dà bēi
气。泛指人不宜大喜大悲。

【例句】人不能大喜大悲，“怒伤肝，喜伤心”，得不偿失。

人逢喜事精神爽，月到中秋分外明。

【解析】人遇到高兴的事情时精神爽利，月亮到了中秋的时候特别明亮。

【例句】李大爷最近抱孙子了，每天都笑容满面，真是“人逢喜事精神爽，月到中秋分外明”啊。

笑一笑，十年少；
愁一愁，白了头。

【解析】性格爽朗的人会为自己寻找快乐，他的心态是健康的，因而健康长寿；性格忧郁的人不会为自己营造愉悦的心情，因而头发愁白了。

【例句】《红楼梦》里的

lín dài yù zhěng tiān duō chóu shàn gǎn yù yù guǎ huān nián jì qīng qīng jiù
林黛玉整天多愁善感、郁郁寡欢，年纪轻轻就
sǐ le yào bù rén men zěn me cháng shuō xiào yí xiào shí nián shào chóu
死了，要不人们怎么常说“笑一笑，十年少；愁
yì chóu bái le tóu ne
一愁，白了头”呢？

ruò yào jiàn tiān tiān liàn
若要健，天天练。

jiě xī xiǎng yào shēn tǐ jiàn kāng jiù bì xū jiān chí měi tiān
【解析】想要身体健康，就必须坚持每天
duàn liàn
锻炼。

lì jù xiǎo lǐ hěn xiàn mù xiǎo wáng jiàn kāng yǒu huó lì de shēn
【例句】小李很羡慕小王健康有活力的身
tǐ biàn wèn tā shì rú hé bǎo yǎng de xiǎo wáng shuō ruò yào jiàn
体，便问他是如何保养的，小王说：“‘若要健，
tiān tiān liàn zhè yàng cái néng yǒu hǎo de shēn tǐ
天天练’，这样才能有好的身体。”

fàn hòu bǎi bù zǒu huó dào jiǔ shí jiǔ
饭后百步走，活到九十九。

jiě xī měi tiān fàn hòu shāo wēi sàn san bù duì cháng shòu shì
【解析】每天饭后稍微散散步，对长寿是
fēi cháng yǒu lì de
非常有利的。

lì jù nián mài
【例句】年迈
de lǐ dà ye shēn tǐ hěn
的李大爷身体很
hǎo tè bié xǐ huan fàn hòu
好，特别喜欢饭后
sàn san bù cháng cháng féng rén
散散步，常常逢人
jiù shuō fàn hòu bǎi bù
就说：“饭后百步

zǒu huó dào jiǔ shí jiǔ
走，活到九十九。”

sān cān mò guò bǎo
三餐莫过饱，
wú bìng huó dào lǎo
无病活到老。

jiě xī zhǐ měi tiān de sān cān yào shì liàng bú bào yǐn bào shí jiù néng jiàn kāng de huó dào lǎo nián
【解析】指每天的三餐要适量，不暴饮暴食，就能健康地活到老年。

lì jù yī shēng zǒng shì dīng zhǔ yīn chī fàn xí guàn bù liáng ér shēng bìng de xiǎo qiáo shuō sān cān mò guò bǎo wú bìng huó dào lǎo
【例句】医生总是叮嘱因吃饭习惯不良而生病的小乔说：“三餐莫过饱，无病活到老。”

jí bìng fáng zhì
疾病防治

yào fāng wú guì jiàn xiào zhě shì líng dān
药方无贵贱，效者是灵丹。

jiě xī bù guǎn jià gāo jià dī zhǐ yǒu duì zhèng xià yào cái néng yī zhì hǎo bìng tòng
【解析】不管价高价低，只有对症下药，才能医治好病痛。

lì jù yī shēng yòng hěn pián yi de yào zhì hǎo le chén dà mā de lǎo máo bìng zhè zhēn shì yào fāng wú guì jiàn xiào zhě shì líng dān
【例句】医生用很便宜的药治好了陈大妈的老毛病，这真是“药方无贵贱，效者是灵丹”。

【典故】

“柴胡”的由来

据传，在古代有一个进士姓胡，家里有个长工叫郑阿三。

有一天，郑阿三病了，胡进士怕郑阿三把病传染给自己的家人，就把郑阿三赶出了家门。

郑阿三离开胡家后，走到了一座大山中躺在地上走不动了。他醒来后感到非常饥饿，于是就去找吃的，无意中拔了身边的草入口咀嚼，不久感到身体轻松些了，十来天过去后，郑阿三的病就好起来了。

病好以后，郑阿三又回到了胡家，刚好此时胡家的少爷也患上了与郑阿三一样的疾病，胡进士正着急呢，见到郑阿三竟然好起来了，连忙问郑阿三是怎样好的。郑阿三讲述了自

jǐ chī cǎo de jīng guò hú jìn shì jiào
己吃草的经过，胡进士叫
zhèng ā sān kuài qù cǎi lái zhè zhǒng shén
郑阿三快去采来这种“神
cǎo hú shào ye chī guo hòu guǒ rán
草”，胡少爷吃过后，果然
yě hǎo qǐ lái le
也好起来了。

yǐ qián zhè zhǒng cǎo cūn mín dōu shì yòng lái dàng chái shāo méi xiǎng
以前这种草村民都是用来当柴烧，没想
dào zhè me yǒu shén xiào jiù le hú jiā shào ye de mìng suǒ yǐ dà jiā
到这么有神效，救了胡家少爷的命，所以大家
jiù jiào zhè zhǒng cǎo wéi chái hú le
就叫这种草为“柴胡”了。

rén chī wǔ gǔ shēng bǎi bìng
人吃五谷生百病。

jiě xī rén zhǐ yào chī wǔ gǔ zá liáng jiù nán miǎn huì shēng bìng
【解析】人只要吃五谷杂粮，就难免会生病。

lì jù rén chī wǔ gǔ shēng bǎi bìng a jiù lián xiǎo wáng
【例句】“人吃五谷生百病”啊，就连小王
zhè me jiàn zhuàng de shēn tǐ yě dé cháng yán le
这么健壮的身体也得肠炎了。

sān fēn yī qī fēn yǎng shí fēn fáng
三分医，七分养，十分防。

jiě xī yǔ qí bìng hòu qù qiú yī bù rú tí zǎo zì jǐ
【解析】与其病后去求医，不如提早自己
yù fáng
预防。

lì jù shēn tǐ de shì yì diǎnr yě bù néng dān wu yí dìng
【例句】身体的事一点儿也不能耽误，一定
yào sān fēn yī qī fēn yǎng shí fēn fáng cái néng bǎo chí zhù shēn
要“三分医，七分养，十分防”，才能保持住身
tǐ jiàn kāng
体健康。

bǎi bìng cóng kǒu rù
百病从口入。

jiě xī　rén chángcháng dōu shì yīn wèi bú jì kǒu hú luàn chī
【解析】人常常都是因为不忌口胡乱吃
dōng xi ér dǎo zhì shēng bìng
东西而导致生病。

lì jù　xiǎo yáng yīn wèi luàn chī dōng xi shēng bìng le　mā ma
【例句】小阳因为乱吃东西生病了，妈妈
shuō　zhè jiù jiào　bǎi bìng cóng kǒu rù　yǐ hòu chī dōng xi yí dìng
说："这就叫'百病从口入'，以后吃东西一定
yào zhù yì wèi shēng
要注意卫生。"

xīn bìng hái xū xīn yào zhì
心病还需心药治。

jiě xī　xīn li de yōu sī chéng le jīng shén de fù dān　xū
【解析】心里的忧思成了精神的负担，需
yào zhǎo dào zhēnzhèng de yuán yīn cái néng zhì yù
要找到真正的原因才能治愈。

lì jù　xiǎo lín zhè bìng chī shén me
【例句】小琳这病吃什么
yào dōu zhì bu hǎo　wǒ kàn　xīn bìng hái xū
药都治不好，我看"心病还需
xīn yào zhì　a
心药治"啊。

bìng jí bú yào luàn tóu yī
病急不要乱投医。

jiě xī　bìng shì yán zhòng　bù néng
【解析】病势严重，不能
dào chù luàn qǐng yī shēng　bǐ yù shì qing dào
到处乱请医生。比喻事情到
le jǐn jí de shí hou　bù néng dào chù qiú rén hú luàn
了紧急的时候，不能到处求人胡乱
xiǎng bàn fǎ
想办法。

【例句】陈女士遇到了棘手的难事，她却找错了解决方法，导致更大的损失，所以说“病急不要乱投医”。

病来如山倒，病去如抽丝。

【解析】生病的时候犹如山倒下了一样迅猛，恢复的时候犹如抽蚕丝一样的缓慢。

【例句】李大爷前阵子病了，最近身体才渐渐康复，他经常感叹“病来如山倒，病去如抽丝”。

热不马上脱衣，冷不马上穿棉。

【解析】早春之时，寒温交替、忽冷忽热，如果稍热，就马上脱掉棉衣，容易着凉引起感冒等疾病。冬季到来，气温逐渐降低，当感到稍有凉意时，不要立即裹上厚棉服，应逐渐加衣提高人体的抗寒能力，达到强身健体的目的。

lì jù lěng nuǎn jiāo tì de jì jié
【例句】冷暖交替的季节，
yào zuò dào rè bù mǎ shàng tuō yī lěng bù
要做到“热不马上脱衣，冷不
mǎ shàng chuān mián
马上穿棉”。

jiǔ bìng chéng dài fu
久病成大夫。

jiě xī zhǐ yóu yú cháng shí jiān shēng
【解析】指由于长时间生
bìng ér xiàng yī shēng yí yàng néng shú zhī zhì liáo de fāng fǎ
病而像医生一样能熟知治疗的方法。

lì jù wáng xiǎo jiě zhǐ yào yì gǎn mào jiù zhī dào yīng gāi
【例句】王小姐只要一感冒，就知道应该
chī shén me yào zhēn shì jiǔ bìng chéng dài fu
吃什么药，真是“久病成大夫”。

shì yào sān fēn dú
是药三分毒。

jiě xī yào wù de zhǔ yào gōng xiào yǔ tā de fù zuò yòng wǎng
【解析】药物的主要功效与它的副作用往
wǎng shì xiāng bàn xiāng shēng de zài zhì liáo jí bìng xuǎn yòng yào wù shí
往是相伴相生的。在治疗疾病选用药物时，
bì xū zūn cóng yī zhǔ bù néng suí biàn fú yòng jǐn
必须遵从医嘱，不能随便服用，尽
liàng fú yòng fù zuò yòng shǎo de yào wù
量服用副作用少的药物。

lì jù yī shēng
【例句】医生
dōu shuō shì yào sān fēn dú
都说“是药三分毒”，
yào shì bù néng hú luàn
药是不能胡乱
chī de
吃的。

chī yào bú jì zuǐ pǎo duàn dài fu tuǐ
吃药不忌嘴，跑断大夫腿。

jiě xī zài chī yào qī jiān duì yǐn shí bú jìn jì huì shǐ jí bìng wú fǎ zhì yù ér shǐ yī shēng de zhì liáo qián gōng jìn qì
【解析】在吃药期间对饮食不禁忌，会使疾病无法治愈而使医生的治疗前功尽弃。

lì jù xiǎo lín zài shēng bìng chī yào de shí hou méi yǒu jì kǒu shǐ zì jǐ běn lái kuài hǎo de bìng yòu zhòng le zhēn shì chī yào bú jì zuǐ pǎo duàn dài fu tuǐ
【例句】小琳在生病吃药的时候没有忌口，使自己本来快好的病又重了，真是“吃药不忌嘴，跑断大夫腿”。

duì zhèng xià yào yào dào bìng chú
对症下药，药到病除。

jiě xī zhēn duì bìng zhèng yòng yào bìng tòng jiù huì xiāo chú yě bǐ yù zhēn duì mǒu gè wèn tí zhǎo dào le hǎo de bàn fǎ biàn kě yǐ bǎ wèn tí chéng gōng de jiě jué
【解析】针对病症用药，病痛就会消除。也比喻针对某个问题，找到了好的办法，便可以把问题成功地解决。

lì jù chī le liú dài fu kāi de yào lǐ nǎi nai de shēn tǐ hěn kuài huī fù le jiàn kāng zhēn shì duì zhèng xià yào yào dào bìng chú a
【例句】吃了刘大夫开的药，李奶奶的身体很快恢复了健康，真是“对症下药，药到病除”啊。

【典故】

dōng hàn shí yǒu liǎng gè fǔ lì míng jiào ní xún hé lǐ yán
东汉时，有两个府吏名叫倪寻和李延。

yì tiān tā liǎ dōu tóu tòng fā rè biàn yì qǐ qù zhǎo míng yī huà tuó
一天，他俩都头痛发热，便一起去找名医华佗
kàn bìng
看病。

jīng guò zǐ xì de wàng sè zhěn mài huà tuó kāi chū liǎng zhǒng wán
经过仔细地望色、诊脉，华佗开出两种完
quán bù tóng de yào fāng liǎng rén yí kàn gěi ní xún kāi de shì xiè
全不同的药方。两人一看，给倪寻开的是泻
yào ér gěi lǐ yán de
药，而给李延的
shì jiě biǎo fā rè de yào
是解表发热的药。

tā men xiǎng wǒ liǎ zhèng zhuàng
他们想：我俩症状
xiāng tóng wèi shén me kāi de yào fāng què
相同，为什么开的药方却
bù tóng ne shì bu shì nòng cuò le
不同呢，是不是弄错了？

huà tuó jiě shì dào ní xún de bìng
华佗解释道：倪寻的病
shì yóu yǐn shí guò duō yǐn qǐ de bìng zài
是由饮食过多引起的，病在
nèi yīng dāng jiāng
内，应当将
jī zhì xiè
积滞泻
qù lǐ
去。李
yán de bìng
延的病
shì shòu liáng
是受凉
yǐn qǐ de
引起的，
bìng zài wài
病在外，
yīng dāng chī
应当吃

jiě biǎo yào ràng fēng hán zhī xié suí hàn ér qù
解表药，让风寒之邪随汗而去。

liǎng rén tīng le shí fēn xìn fú huí jiā jiāng yào áo hǎo fú xià guǒ rán hěn kuài quán yù
两人听了十分信服，回家将药熬好服下，果然很快痊愈。

hūn liàn shēng yù
婚恋生育

zhì ài mò rú fū qī
至爱莫如夫妻。

jiě xī zhǐ fū qī shì rén jì guān xì zhōng zuì qīn mì zuì mì qiè de yì zhǒng guān xì
【解析】指夫妻是人际关系中最亲密、最密切的一种关系。

lì jù xiǎo wáng fū fù liǎng rén xiāng qīn xiāng ài zhèng yìng le nà jù huà zhì ài mò rú fū qī
【例句】小王夫妇两人相亲相爱，正应了那句话："至爱莫如夫妻。"

qíng rén yǎn li chū xī shī
情人眼里出西施。

jiě xī zài xiāng ài de rén de yǎn li duì fāng wú yí chù bù měi
【解析】在相爱的人的眼里，对方无一处不美。

lì jù xiǎo lǐ de qī zi bìng bú shì hěn piào liang dàn xiǎo lǐ què jué de tā shì shì jiè shang zuì měi de rén zhēn shì qíng rén yǎn li chū xī shī
【例句】小李的妻子并不是很漂亮，但小李却觉得她是世界上最美的人，真是"情人眼里出西施"。

mǎi guō de qiāo qiao zài mǎi gū niang liǎo jiě liǎo jiě zài qǔ
买锅的敲敲再买，姑娘了解了解再娶。

jiě xī zhǐ mǎi dōng xi yào kàn hǎo zhì liàng cái néng mǎi ér
【解析】指买东西要看好质量才能买，而
jié hūn yě bì xū xiān liǎo jiě gū niang de pǐn zhì cái néng qǔ
结婚也必须先了解姑娘的品质才能娶。

lì jù zhǎo duì xiàng yào shèn zhòng yí dìng yào mǎi guō de
【例句】找对象要慎重，一定要“买锅的
qiāo qiao zài mǎi gū niang liǎo jiě liǎo jiě zài qǔ
敲敲再买，姑娘了解了解再娶”。

yí rì bú jiàn rú gé sān qiū
一日不见，如隔三秋。

jiě xī liǎng gè rén yì tiān bú jiàn miàn hǎo xiàng gé le sān
【解析】两个人一天不见面，好像隔了三
gè qiū jì nà yàng jiǔ
个秋季那样久。

lì jù wáng xiān sheng hé qī zi fēi cháng
【例句】王先生和妻子非常
xiāng ài liǎng rén dào le yí rì bú jiàn rú
相爱，两人到了“一日不见，如
gé sān qiū de chéng dù
隔三秋”的程度。

【典故】

cóng qián
从前，
yǒu yí wèi nán zǐ
有一位男子
hé yí wèi nǚ
和一位女
zǐ tā men liǎng
子，他们两
gè jīng cháng qù shān
个经常去山

shang cǎi cǎo yào shí jiān cháng le nán zǐ
上采草药。时间长了，男子
xǐ huan le nǚ zǐ de wēn róu nǚ zǐ yě
喜欢了女子的温柔，女子也
gǎn jué zhè ge nán zǐ hěn huì tǐ tiē rén
感觉这个男子很会体贴人，
bǐ cǐ chǎnshēng le hǎo gǎn
彼此产生了好感。

rú guǒ yǒu bàn tiān tā men méi yǒu jiàn miàn
如果有半天他们没有见面，
shuāngfāng dōu huì gǎn jué yǒu sān gè yuè nà me cháng
双方都会感觉有三个月那么长。
rú guǒ yǒu yì zhěng tiān méi yǒu jiàn dào miàn jiù hǎo xiàng fēn kāi le sān
如果有一整天没有见到面，就好像分开了三
gè qiū tiān bǐ cǐ dōu hěn xiǎng niàn duì fāng
个秋天，彼此都很想念对方。

shī jīng li yǒu yì shǒu shī biǎo dá le zhè zhǒng gǎn qíng
《诗经》里有一首诗表达了这种感情：

bǐ cǎi gé xī yí rì bú jiàn rú sān yuè xī
彼采葛兮，一日不见，如三月兮；
bǐ cǎi xiāo xī yí rì bú jiàn rú sān qiū xī
彼采萧兮，一日不见，如三秋兮；
bǐ cǎi ài xī yí rì bú jiàn rú sān suì xī
彼采艾兮，一日不见，如三岁兮。

hòu lái rén men jiù yòng yí rì bú jiàn rú gé sān qiū lái
后来，人们就用“一日不见，如隔三秋”来
biǎo shì duì duì fāng de xiǎng niàn
表示对对方的想念。

ér bù guǎn jiào bù chéng rén shù bù péi zhí bù chéng lín
儿不管教不成人，树不培植不成林。

jiě xī hái zi bù yán jiā guǎn jiào jiù wú fǎ zǒu zhèng dào
【解析】孩子不严加管教，就无法走正道
chéng rén shù rú guǒ bù hǎo hǎo zhòng zhí péi yù jiù bù néngzhǎngchéng yí
成人，树如果不好好种植培育，就不能长成一
piàn sēn lín
片森林。

lì jù wáng lǎo shī yì zhí duì zǐ nǚ yán jiā guǎn jiào hái
【例句】王老师一直对子女严加管教，孩
zi zhǎng dà hòu chéng wéi le yǒu yòng de rén cái yìng le ér bù guǎn jiào
子长大后成为了有用的人才，应了“儿不管教
bù chéng rén shù bù péi zhí bù chéng lín nà jù huà a
不成人，树不培植不成林”那句话啊。

gāo bù chéng dī bú jiù
高不成，低不就。

jiě xī gāo ér hé yì de zuò bu dào huò dé bu dào
【解析】高而合意的，做不到或得不到；
zuò de liǎo néng dé dào de yòu rèn wéi dī ér bù kěn zuò huò bù kěn
做得了、能得到的，又认为低而不肯做或不肯
yào duō zhǐ xuǎn zé gōng zuò huò pèi ǒu
要（多指选择工作或配偶）。

lì jù xiǎo dài dà xué bì yè hòu yì zhí dāi zài jiā zhōng
【例句】小戴大学毕业后一直待在家中，
yīn wèi gāo bù chéng dī bú jiù yì zhí méi zhǎo dào gōng zuò
因为“高不成，低不就”，一直没找到工作。

qiǎng niǔ de guā bù tián
强扭的瓜不甜。

jiě xī bǐ yù shì qing
【解析】比喻事情
bù néng miǎn qiǎng qù zuò bú shùn qí
不能勉强去做，不顺其
zì rán de shì qing wǎng wǎng bú huì yǒu
自然的事情往往不会有
mǎn yì de jiē guǒ duō zhǐ hūn yīn
满意的结果。多指婚姻
fāng miàn
方面。

lì jù xiǎo wáng zhī dào qiǎng niǔ de
【例句】小王知道“强扭的
guā bù tián fàng qì le duì xiǎo lín de zhuī qiú
瓜不甜”，放弃了对小琳的追求。

宁拆十座庙，不拆一门亲。

【解析】宁愿拆庙冒犯神灵，也不能破坏别人的亲事，指破坏拆散别人婚姻的行为很恶劣。

【例句】“宁拆十座庙，不拆一门亲”，破坏别人的婚姻是会被人记恨的。

男大当婚，女大当嫁。

【解析】指男女到了适当的年龄就应该找配偶结婚。

【例句】小曹和女朋友年纪已经不小了，也到了“男大当婚，女大当嫁”的年龄了。

公鸡打架头对头，夫妇吵嘴不记仇。

【解析】公鸡在一起会打架。夫妇在一起有时会吵嘴，但吵完以后，都不会记恨对方。

【例句】小王夫妇每次

fā shēngzhēng zhí dōu xiàngchóu rén yì bān
发生争执都像仇人一般，
dàn shì hòu yòu xiàng méi yǒu zhēng zhí guo
但事后又像没有争执过
yí yàng ēn ài zhēn yìng le gōng jī
一样恩爱，真应了“公鸡
dǎ jià tóu duì tóu fū fù chǎo zuǐ bú
打架头对头，夫妇吵嘴不
jì chóu zhè jù huà
记仇”这句话。

shào nián fū qī lǎo lái bàn
少年夫妻老来伴。

jiě xī nián shào shí fū qī ēn ài làng màn nián lǎo yǐ
【解析】年少时，夫妻恩爱浪漫，年老以
hòu shì xiāng hù fú chí zǒu wán rén shēng lǚ chéng de bàn lǚ
后，是相互扶持走完人生旅程的伴侣。

lì jù zhāng lǎo fū fù jié hūn jǐ shí nián yì zhí dōu shì
【例句】张老夫妇结婚几十年，一直都是
lìng rén xiàn mù de yí duì chángcháng yǒu rén zàn tàn tā men shì shào nián
令人羡慕的一对，常常有人赞叹他们是“少年
fū qī lǎo lái bàn
夫妻老来伴”。

yǒu yuán qiān lǐ lái xiāng huì
有缘千里来相会。

jiě xī zhǐ rén yǔ rén zhī jiān zhǐ yào yǒu yuán fèn jí shǐ
【解析】指人与人之间只要有缘分，即使
xiāng lí hěn yuǎn yě huì xiāng jiàn
相离很远也会相见。

lì jù tā men liǎng gè yí gè shì dōng běi de yí gè shì
【例句】他们两个一个是东北的，一个是
sì chuān de jiàn guo miàn hòu qíng tóu yì hé zhēn shì yǒu yuán qiān lǐ
四川的，见过面后情投意合，真是“有缘千里
lái xiāng huì
来相会”。

【典故】

míng dài dà cái zǐ táng bó hǔ yí rì zài jiāngshang wán shǎng jiàn
明代大才子唐伯虎一日在江上玩赏，见
gé chuán yǒu gè xiǎo yā huan duì tā yǎn miàn yí xiào tā dùn shí shén dàng
隔船有个小丫鬟对他掩面一笑，他顿时神荡
hún yáo xiàng zhōu rén dǎ ting dé zhī shì huà xué shì de fǔ juàn tā
魂摇，向舟人打听，得知是华学士的府眷。他
mìng zhōu rén zhuī gǎn yí lù gēn suí táng bó hǔ huànshàng jiù yī lái
命舟人追赶，一路跟随。唐伯虎换上旧衣，来
dào huà xué shì fǔ shàng wéi nú huà xué shì jiàn tā shēng de wén yǎ yòu
到华学士府上为奴，华学士见他生得文雅又
yǒu cái xué ràng tā bàn dú gōng zǐ tā xiàng xià rén dǎ ting fāng zhī
有才学，让他伴读公子。他向下人打听，方知
jiāngshang xiǎo yā huan míng jiào qiū xiāng zài fǔ zhōng yì nián huà xué shì
江上小丫鬟名叫秋香。在府中一年，华学士
wèn qí gōng qián tā shuō zhǐ qiú yì
问其工钱，他说只求一
qī zi huà xué shì biàn huàn zhòng yā
妻子，华学士便唤众丫

huan qián lái ràng qí tiāo xuǎn táng bó hǔ bù xuǎn
鬟前来，让其挑选，唐伯虎不选
shèng zhuāng zhī nǚ wéi dú tiāo xuǎn jiù yī sù fú
盛装之女，唯独挑选旧衣素服
de qiū xiāng cǐ shì bèi chuán wéi jiā huà yuē yǒu
的秋香。此事被传为佳话曰：有
yuán qiān lǐ lái xiāng huì
缘千里来相会。

qī suì kàn dà bā suì kàn lǎo
七岁看大，八岁看老。

jiě xī zhǐ cóng ér tóng de yán xíng zhōng néng kàn chū tā men de
【解析】指从儿童的言行中能看出他们的
bǐng xìng tuī cè tā men de wèi lái
秉性，推测他们的未来。

lì jù zhèng suǒ wèi qī suì kàn dà bā suì kàn lǎo
【例句】正所谓“七岁看大，八岁看老”，
xiǎo lǐ xiǎo de shí hou jiù fēi cháng cōng míng lǎo rén men dōu shuō tā zhǎng
小李小的时候就非常聪明，老人们都说他长
dà hòu huì hěn yǒu chū xi xiǎo lǐ zhǎng dà hòu zhēn de chéng wéi le yì
大后会很有出息，小李长大后真的成为了一
míng chū sè de jì zhě
名出色的记者。

nǚ dà shí bā biàn
女大十八变。

jiě xī zhǐ nǚ zǐ zài chéng
【解析】指女子在成
zhǎng fā yù guò chéng zhōng róng mào xìng gé
长发育过程中，容貌性格
yǒu jiào dà de biàn huà
有较大的变化。

lì jù xiǎo lín zhēn shì nǚ dà
【例句】小琳真是“女大
shí bā biàn yuè lái yuè piào liang le
十八变”，越来越漂亮了。

【典故】

gǔ dài yǒu gè nǚ zǐ chū jiā wéi ní huí xiāng hòu zhǔn bèi kāi
古代有个女子，出家为尼，回乡后准备开
táng shuō fǎ kě shì dāng dì de hé shang tán kōng shuō nǚ rén bù néng
堂说法，可是当地的和尚谭空说：“女人不能
kāi táng nà wèi ní gū bù fú qì yòng lóng nǚ bā suì chéng fó zuò
开堂。”那位尼姑不服气，用龙女八岁成佛作
wéi lǐ yóu fǎn bó tán
为理由反驳谭

kōng tán kōng
空。谭空
hé shang rèn
和尚认
wéi tā bù
为，她不
néng hé lóng nǚ
能和龙女
xiāng bǐ tā
相比，他
shuō dào lóng nǚ
说道：“龙女
yǒu shí bā biàn nǐ néng fǒu
有十八变，你能否？”

chuán shuō zhōng lóng nǚ shì lóng wáng zhī nǚ bā suì shí jiù zhì huì
传说中龙女是龙王之女，八岁时就智慧
guò rén xué xí fó fǎ jì yì jí qiáng hòu xiū chéng zhèng guǒ yǒu shí
过人，学习佛法，记忆极强，后修成正果，有十
bā bān biàn huà de běn lǐng
八般变化的本领。

chéng jiā róng yì yǎng jiā nán
成家容易养家难。

jiě xī jié hūn hěn róng yì dàn shēng huó què shì hěn jiān nán
【解析】结婚很容易，但生活却是很艰难

de shì qing
的事情。

lì jù chéng jiā róng yì yǎng jiā nán xiǎo péng jié hūn hòu
【例句】“成家容易养家难”，小鹏结婚后

cái tǐ huì dào le guò rì zi de nán chù
才体会到了过日子的难处。

jiā tíng lún lǐ
家庭伦理

yǎng ér fāng zhī fù mǔ ēn
养儿方知父母恩。

jiě xī zhǐ zì jǐ chéng jiā yǒu le xiǎo hái zhī hòu cái zhēn zhèng
【解析】指自己成家有了小孩之后才真正

míng bai fù mǔ duō nián lái duì zì jǐ yǎng yù de ēn qíng
明白父母多年来对自己养育的恩情。

lì jù liú xiǎo jiě jié hūn yǒu le hái zi yǐ hòu cái zhēn
【例句】刘小姐结婚有了孩子以后，才真

zhèng tǐ huì dào yǎng ér fāng zhī fù mǔ ēn
正体会到“养儿方知父母恩”。

qīn xiōng dì míng suàn zhàng
亲兄弟，明算账。

jiě xī jí shǐ shì qīn xiōng dì zài yì
【解析】即使是亲兄弟在一

qǐ zuò shì yě yīng gāi bǎ zé rèn hé lì yì
起做事，也应该把责任和利益

huà fēn qīng chu
划分清楚。

lì jù xiǎo chén xiōng dì liǎng gè hé huǒ
【例句】小陈兄弟两个合伙

zuò shēng yi jí shǐ shì yì jiā rén yě yào
做生意，即使是一家人，也要

qīn xiōng dì míng suàn zhàng
“亲兄弟，明算账”。

zǐ bù xián mǔ chǒu gǒu bù xián jiā pín
子不嫌母丑，狗不嫌家贫。

jiě xī ér zi bú huì yīn wèi mǔ qīn zhǎng de chǒu ér xián
【解析】儿子不会因为母亲长得丑而嫌
qì tā yīn wèi mǔ qīn fù yǔ le wǒ men shēng mìng wǒ men zhǐ yǒu ài
弃她，因为母亲赋予了我们生命，我们只有爱
de yì wù ér méi yǒu xián qì de lǐ yóu gǒu bú huì yīn wèi jiā
的义务，而没有嫌弃的理由。狗不会因为家
tíng pín qióng ér lí kāi zhǔ rén
庭贫穷而离开主人。

lì jù zǐ bù xián mǔ chǒu gǒu bù xián jiā pín kě
【例句】“子不嫌母丑，狗不嫌家贫”，可
yǒu de rén lián gǒu dōu bù rú
有的人连狗都不如。

qīng guān nán duàn jiā wù shì
清官难断家务事。

jiě xī zài gōng zhèng de guān lì
【解析】再公正的官吏
yě hěn nán lùn duàn jiā tíng jiū fēn de shì
也很难论断家庭纠纷的是
fēi qū zhí zhǐ jiā tíng nèi bù de shì
非曲直。指家庭内部的事，
wài rén hěn nán gǎo qīng chu
外人很难搞清楚。

lì jù xiǎo míng shì cūn shū jì què
【例句】小明是村书记，却
yě hěn nán jiě jué wáng pó po jiā de nèi bù jiū
也很难解决王婆婆家的内部纠
fēn zhēn shì qīng guān nán duàn jiā wù shì a
纷，真是“清官难断家务事”啊。

jiā jiā yǒu běn nán niàn de jīng
家家有本难念的经。

jiě xī měi jiā měi hù dōu yǒu zì jǐ
【解析】每家每户都有自己

de nán chù hé kǔ zhōng
的难处和苦衷。

lì jù gé bì xiǎo wáng
【例句】隔壁小王

jiā jīng cháng fā shēng zhēng chǎo
家经常发生争吵，

zhēn shì jiā jiā yǒu běn nán
真是“家家有本难

niàn de jīng a
念的经”啊。

zhī zǐ mò ruò fù
知子莫若父。

jiě xī zhǐ zuò fù
【解析】指做父

qīn de zuì liǎo jiě zì jǐ de ér zi
亲的最了解自己的儿子。

lì jù zhī zǐ mò ruò fù xiǎo lǐ de xīn shì yí xià
【例句】“知子莫若父”，小李的心事一下

jiù bèi fù qīn kàn chuān le
就被父亲看穿了。

【典故】

chūn qiū shí yuè guó zǎi xiàng fàn lǐ de èr ér zi zài chǔ guó
春秋时，越国宰相范蠡的二儿子在楚国

fàn le shā rén zuì tā zhǔn bèi qiān liǎng huáng jīn hé shū xìn jiào xiǎo
犯了杀人罪。他准备千两黄金和书信，叫小

ér zi zhǎo chǔ guó zǎi xiàng bāng máng
儿子找楚国宰相帮忙。

dà ér zi dé zhī qǐng qiú yǔ xiǎo ér zi yì tóng qián wǎng fàn
大儿子得知，请求与小儿子一同前往，范

lǐ shuō nǐ ruò qù èr dì bì sǐ dà ér zi bù fú qì xīn
蠡说：“你若去，二弟必死。”大儿子不服气，心

xiǎng tóng yàng yǒu lǐ wù yǒu shū xìn wèi hé wǒ bù néng qù
想：“同样有礼物，有书信，为何我不能去？”

fàn lǐ niù bu guò zhǐ dé tóng yì lín xíng zhǔ fù tā wú lùn shì qing
范蠡拗不过，只得同意，临行嘱咐他无论事情
néng fǒu bàn chéng lǐ wù qiān wàn dōu bú yào dài huí zhǎng zǐ gāng dòng
能否办成，礼物千万都不要带回。长子刚动
shēn fàn lǐ jiù jiào xiǎo ér zi mǎi le yì kǒu guān cai suí hòu dào chǔ
身，范蠡就叫小儿子买了一口棺材，随后到楚
guó qù jiē tā èr gē de shī tǐ
国去接他二哥的尸体。

zhǎng zǐ dào chǔ guó xiàng zǎi xiàng chéng shàng lǐ wù yǔ shū xìn
长子到楚国，向宰相呈上礼物与书信。
zǎi xiàng biàn yǐ chǔ guó jiāng yǒu tiān zāi wéi jiè kǒu shàng zòu chǔ wáng shì
宰相便以楚国将有天灾为借口，上奏楚王释
fàng sǐ qiú miǎn chú zāi nàn chǔ wáng dà shè tiān xià zhǎng zǐ jiàn
放死囚，免除灾难。楚王大赦天下。长子见
dì di yǐ dé jiù xīn xiǎng hé bì bái
弟弟已得救，心想何必白
bái diū diào qiān liǎng huáng jīn
白丢掉千两黄金，
biàn yòu cóng zǎi xiàng fǔ qǔ huí
便又从宰相府取回
le huáng jīn chǔ guó zǎi xiàng
了黄金。楚国宰相
fēi cháng nǎo nù yú
非常恼怒，于
shì yòu duì chǔ wáng shuō
是又对楚王说：
dà wáng dà shè tiān
“大王大赦天
xià běn wèi xiāo zāi
下，本为消灾，
qǐ liào yǒu rén shuō wǒ
岂料有人说我
shòu le fàn lǐ de huì
受了范蠡的贿
lù wèi le fàn lǐ
赂，为了范蠡
de ér zi cái tí yì
的儿子才提议

大赦，如果放了他，民愤难平。”楚王听了，就下令斩了范蠡的二儿子，等到人头落地时，范蠡小儿子运的棺材正好赶到。

有人问范蠡怎么料知？他说：长子是在我贫困时出生，从小历尽艰辛，深知钱财得来不易；而小儿子在我发达后出生，向来挥金如土，对千两黄金不放在心上。所以我知道大儿子一定办不成此事。

九子不葬父，一女打荆棺。

【解析】父亲身亡，九个儿子都推来推去，不想花钱埋葬父亲。唯有一个女儿采集荆条编棺葬父。

【例句】现在在一些地区，“养儿防老”的思想还很盛行，其实这种“重男轻女”的思想是不可取的，“九子不葬父，一

女打荆棺”的传说就说明了一点：养儿未必能防老。

【典故】

从前有个人生了九个儿子和一个女儿。这个人很偏爱儿子，总觉得女儿没用。他去世后，九个儿子都互相推诿，谁都不肯出钱买棺材。小女儿哀哀地哭着，因为太穷，实在没钱操办后事，就去割荆条，削去刺，一根一根地编起来，打成荆条棺后装殓了父亲。她的手被刺破，血染红了荆条。她怕路上的泥土腐蚀荆条，又背又托，将棺材送上峭壁，最后因耗尽体力，小女儿坠江而亡。后人为了纪念这个伟大的女子，便留下了这句谚语。